VICTOR HUGO

Dans la même collection :

JULES CÉSAR.
CLÉOPATRE D'ÉGYPTE.
LA GRANDE CATHERINE.
CORTEZ AU MEXIQUE.
LE CAPITAINE COOK EXPLORE LE PACIFIQUE.
LÉONARD DE VINCI.
LAWRENCE D'ARABIE.
LA BATAILLE DE L'ATLANTIQUE.
L'HISTOIRE DE L'ÉNERGIE ATOMIQUE.
GRANDS HOMMES DE LA MÉDECINE.
WINSTON CHURCHILL.
MAGELLAN, MAITRE MARIN.
ÉLISABETH ET L'INVINCIBLE ARMADA.
GENGIS KHAN, CONQUÉRANT DES STEPPES.
A LA DÉCOUVERTE DE LA PRÉHISTOIRE.
PASTEUR ET SES DÉCOUVERTES.
BOLIVAR, LE LIBÉRATEUR.
BEAUMARCHAIS, ÉCRIVAIN ET AVENTURIER.

RAOUL WILLEMENOT

VICTOR HUGO

FERNAND NATHAN

Peint par son ami Deveria, ce Victor Hugo adolescent évoque le défi fameux : — Je veux être Chateaubriand, ou rien!

I. — UNE ENFANCE DÉCHIRÉE

L A République a dix ans ; maîtrisée par la poigne énergique de Bonaparte, qui va être plébiscité Consul à vie, la France s'achemine vers une dictature encore insoupçonnée. Les événements de la tourmente révolutionnaire, si proches, restent gravés dans toutes les mémoires et, à Besançon comme ailleurs, l'homme de la rue non seulement se souvient de l'ancien régime, mais pourrait, devant les vieilles demeures du quartier aristocratique, nommer ceux qui ont péri ou émigré.

L'une de ces belles maisons de pierre de la Grande Rue, à l'angle de la place du Capitole, est affectée au logement d'un officier de la garnison, le chef de bataillon Léopold

Hugo, dont la jeune femme, déjà mère de deux garçons de quatre ans et de deux ans, Abel et Eugène, attend la venue d'un troisième enfant, que l'on espère être une fille au prénom déjà choisi : Victorine.

Venant des armées du Rhin où il a servi sous le général Moreau, le commandant Hugo, sans cesse transplanté d'un cantonnement à un autre, n'est que de passage à Besançon : aussitôt après la naissance du bébé, il sait devoir rejoindre son unité en Corse. Cet éloignement ressemble fort à une brimade, mais il a l'habitude de l'obéissance : soldat depuis l'adolescence, engagé à l'âge de 15 ans, capitaine à 20 ans, il a participé à la grande aventure héroïque de la Révolution et ne connaît pour décor de sa vie que l'armée. Ses cinq frères sont eux aussi soldats, ou plutôt le furent, car trois ont été tués au combat et deux survivants seulement gravissent avec lui les échelons d'une carrière bien servie par les circonstances. S'il n'est encore que commandant, Léopold n'a que 28 ans, et d'autres guerres aideront à son avancement.

Fils d'un menuisier de Nancy, il a pour ancêtres de simples cultivateurs lorrains. Aucun doute sur ce point, et il est surprenant que Victor Hugo, parvenu à une fortune colossale et à une gloire littéraire universelle, — la seule peut-être qui ait remué les foules —, ait cédé à la vaine gloriole de se fabriquer une généalogie plus ou moins noble. Il nous convient mieux de savoir que celui qui fut « le patriarche de la République » plongeait dans le peuple par ses racines.

Bien que sabreur, Léopold est aussi et avant tout un excellent homme ; sa bonté est si manifeste que ses compagnons d'armes louent sa générosité et son bon cœur, avant même d'évoquer sa vaillance sur les champs de bataille. En Vendée par exemple, où la lutte contre les chouans fanatiques avait été implacable et où « il fallait tuer pour ne pas mourir », il avait protégé les malheureux et sauvé bien des existences. L'affection qui l'entourait inspirait des dévouements sans bornes ; c'est ainsi qu'un soir de déroute, comme il gisait inconscient sous son cheval mort, un hussard l'avait sauvé au péril de sa vie.

Au cours de la campagne vendéenne, Léopold, qui se faisait alors appeler « Brutus », avait connu à Nantes un armateur nommé Trébuchet, veuf depuis 1783 et chargé de trois filles dont l'une, particulièrement attachante, avait su lui plaire : Sophie. Encore très jeune, fine et de petite taille, point jolie, mais vive, spirituelle et pleine de gentillesse, Sophie fait oublier à son soupirant ce qui peut les séparer, notamment qu'elle est pieuse et de sentiments royalistes. Rien ne vient empêcher leur promesse de mariage, bientôt célébré le 15 novembre 1797, en l'Hôtel-de-Ville de Paris.

* *

Cinq ans plus tard, le 26 février 1802, naît à Besançon ce troisième enfant qui déçoit l'attente de ses parents : c'est encore un fils, que l'on prénomme Victor-Marie, et dont l'apparence chétive fait craindre pour sa vie.

Mais le petit Victor se révèle être en parfaite santé, au point que sa mère, pourtant vigilante et très attachée à cet enfant, ne craint pas de s'en éloigner. Victor a neuf mois lorsqu'à Marseille, au moment d'embarquer, Léopold s'insurge contre ce qu'il considère comme un exil : il charge sa femme d'obtenir son rappel en France, et la voilà qui rebrousse chemin, seule. Cependant qu'à Bastia, puis à l'île d'Elbe, Léopold fait la bonne d'enfants avec les trois petits garçons, Sophie plaide auprès de relations influentes en faveur de son mari, mais sans succès et, peut-être, sans grand zèle.

Madame Hugo a retrouvé à Paris le parrain de son der-nier-né, ami de sa famille, protecteur de son mari et Breton comme elle, le général marquis Victor de Lahorie, personnage singulier dont la présence auprès de la jeune femme est doublement compromettante, autant par son anti-bonapartisme affiché que par son attachement excessif à l'épouse d'un ami. Partageant la disgrâce du général Moreau, son chef direct, et déjà pourchassé par la police, il sera compromis dans l'extravagante conspiration de Malet contre Napoléon et tombera en 1812 sous les balles d'un peloton d'exécution. Un caractère aussi affirmé, joint à un esprit cultivé et à un style racé très XVIIIᵉ siècle, avait de quoi séduire un cœur romanesque...

De Porto-Ferraio, Hugo écrit des lettres de plus en plus pressantes : « ... Tout le monde s'étonne que tu ne viennes pas et que j'aie avec moi les enfants. Cela fait jaser... » Dicté par l'amour-propre plus que par l'affection, cet appel force néanmoins Sophie à quitter Paris. Les deux époux se rejoignent à l'île d'Elbe, mais trop tard pour sauvegarder leur union : Léopold est devenu distant. Ulcérée ou feignant de l'être, Sophie prend le bateau du retour, emmenant cette fois ses trois enfants, qu'elle ne quittera plus.

A partir de ce moment, le déchirement s'accentue. Sophie s'attache de plus en plus à Lahorie, cependant que Léopold, accompagné d'une jolie femme qu'il aime, est envoyé en Italie en octobre 1805. Là, Masséna lui donne

pour mission de capturer le célèbre chef de bande Fra
Diavolo. Léopold y parvient, rétablit l'ordre dans la région
et doit à ce succès d'être distingué par Joseph Bonaparte,
alors roi de Naples, qui lui offre le commandement du
régiment « Royal-Corse », avant de le nommer en 1808
gouverneur de la province d'Avellino.

Pendant ce temps, Sophie connaît à Paris une situation
proche de la gêne. Elle demeure rue de Clichy, à l'empla-
cement actuel du square de la Trinité. De cette maison,
Victor Hugo prétendra se souvenir, ainsi que de la cour
où il jouait avec ses frères, du puits, du saule et, surtout,
de l'école où il fut envoyé dès l'âge de trois ans, rue du
Mont-Blanc, aujourd'hui rue de la Chaussée-d'Antin.
Comme il était tout petit, Victor avait accès à la chambre
même du maître d'école, domaine d'une fée qui enchantait
l'imagination déjà vive de l'enfant : Mlle Rose, la jeune
fille du maître...

Apprenant la dignité lucrative où venait d'être élevé
son mari, Sophie n'hésita pas et prit le chemin de l'Italie
avec ses enfants. Après un long voyage pittoresque dont
les découvertes émerveillent les garçons : le mont Cenis
sous la neige, Parme inondé, Florence et ses palais, Rome,
Naples enfin, le Vésuve et la mer, voilà la famille Hugo

réunie dans un beau palais de marbre, empli d'une foule de cavaliers aux uniformes chamarrés. Le gouverneur, troublé dans ses plaisirs par l'irruption des siens, ne songe nullement à la réconciliation que Sophie souhaitait. Une nouvelle séparation est inévitable ; elle ne tarde pas : l'Espagne est en feu depuis les émeutes de mai 1808 à Madrid, et l'Empereur décide en novembre d'aller lui-même rétablir l'ordre. Léopold est appelé au combat et Sophie ramène sa nichée à Paris.

C'est alors qu'elle loue les *Feuillantines*, maison et jardin que Victor Hugo associera toute sa vie à l'époque la plus insouciante et la plus heureuse de son enfance :

> *J'eus dans ma blonde enfance, hélas trop éphémère,*
> *Trois maîtres : — un jardin, un vieux prêtre, et ma mère.*
> *Le jardin était grand, profond, mystérieux,*
> *Fermé par de hauts murs aux regards curieux...*

Au Nº 12 de l'impasse des Feuillantines, qui s'ouvrait dans la rue Saint-Jacques, la maison est tout ce qui reste d'un ancien couvent vidé par la révolution. Sous les fenêtres de la vieille demeure s'étend un vaste jardin inculte, au fond duquel de grands arbres cachent une chapelle à demi ruinée. C'est là que vient se réfugier, un jour de l'an 1809, le proscrit Lahorie, que Sophie retrouve avec joie et qu'elle présente à ses enfants comme un parent. Il devient vite pour les petits Hugo une sorte de père, qui remplace l'absent, et un excellent précepteur dont les leçons, s'ajoutant à celles d'un vieil oratorien défroqué, le « père » Larivière, feront du jeune Victor un bon latiniste.

Cette vie heureuse est brutalement traversée par un drame : Lahorie, honteusement trahi par son vieux camarade Savary, depuis peu ministre de la police, est arrêté et jeté en prison.

Au cours de cette même année 1810 le général Hugo, admis dans la familiarité de Joseph Bonaparte, devenu roi d'Espagne par la grâce de Napoléon, avait vu sa carrière prendre un essor inespéré. Gouverneur de province, il vit princièrement à Madrid et le roi lui donne, à l'issue d'une bataille victorieuse, le titre de comte de Siguenza, assorti d'une pension d'un million de réaux.

C'est alors, pour satisfaire à l'obligation faite aux grands dignitaires de s'établir avec leur famille, que Léopold demande à Sophie de le rejoindre. Désemparée depuis l'arrestation de son cher Lahorie, la pauvre femme se résigne à accepter ce qui peut transformer complètement son existence. Au commencement de 1811, elle entreprend

Un chef de bataillon, en garnison à Besançon, cherche un logement pour sa famille. Un soir d'hiver 1801, cet écriteau « à louer » fixe son choix : c'est ici que naîtra son fils Victor Hugo, le 26 février 1802.

*Voilà un militaire solide, instinctif. Ce portrait sans indul-
gence ne nous dit-il pas davantage que les pages inspirées par
le respect filial?*

avec ses enfants une véritable expédition, minutieusement préparée.

Quel voyage ! La diligence les mène sans histoire jusqu'à la frontière, mais là, il faut attendre qu'un convoi militaire en formation leur serve d'escorte. C'est au milieu de 2 000 hommes et sous la protection de canons que le « trésor » de l'armée, ainsi que la famille Hugo, affrontent les périls de régions infestées de guerilleros. La première halte en pays basque se fait au village d'Hernani, nom que le jeune Hugo n'oubliera pas, non plus que Torrequemada, car ce voyage est jalonné de noms sonores qui retentiront plus tard dans son œuvre.

Parvenue à Madrid, la famille du comte de Siguenza est logée au palais Masserano, immense et somptueuse bâtisse qui éblouit le petit Victor, dont l'imagination s'enflamme devant les portraits d'une impressionnante galerie des ancêtres, celle-là même qui servira de cadre à l'une des scènes d'*Hernani*.

Après quelques semaines de vacances émerveillées, Victor est mis au collège des nobles avec son frère Eugène. Très avancés dans leurs études, les voici entourés de garçons de quatre ou cinq ans leurs aînés et qui les maltraitent volontiers, ces jeunes Espagnols se souciant moins que des adultes de dissimuler leur haine de l'occupant étranger. Les longs mois passés dans ce sinistre collège, qui tient de la caserne et du couvent, marqueront profondément la mémoire de Victor et, ici encore, ses souvenirs fourniront bien des traits à son œuvre future : Quasimodo évoquera le nain bossu qui réveillait le dortoir chaque matin, et deux traîtres ressusciteront sur la scène du théâtre deux odieux camarades, dont l'un avait même blessé Eugène Hugo d'un coup de ciseaux au visage.

Une année s'était à peine écoulée qu'il fallut partir en hâte : les Espagnols soulevés et leurs alliés anglais rendaient par trop hasardeuse la sécurité de la famille. Mais l'enfance de Victor Hugo, promenée à travers l'Europe et déjà déchirée par le désaccord de ses parents, avait été prodigieusement sensible aux séductions de l'Espagne, à son éclatante et dure lumière comme à la morgue et à l'emphase d'une race fière. Sans les vives impressions de sa neuvième année, il n'eût pu composer ni *Hernani*, ni *Ruy Blas*, ni atteindre à une telle intensité dans ses scènes espagnoles, les plus fortes, sinon les plus vraies, depuis Corneille.

Voilà Mme Hugo et ses fils de retour en France, où ils retrouvent avec joie le calme des Feuillantines. Abel, l'aîné, est resté à Pau, où il est sous-lieutenant. Eugène et Victor, qui ont maintenant 12 et 10 ans, trouvent moins de charme au jardin abandonné et se passionnent pour la lecture, se jetant avidement sur tout ce qui leur tombe sous la main : prose, poésie, romans, récits de voyages, sans écarter une vieille Bible découverte dans les combles du couvent. Le temps qui n'est pas consacré à lire ou à dessiner l'est aux jeux : d'interminables parties réunissent les petits Hugo aux deux enfants d'une famille amie, les Foucher, qui habitent à deux pas, rue du Cherche-Midi. Victor connaissait bien Adèle Foucher, sa cadette d'un an, et le même jardin des Feuillantines les avait déjà vus courir ensemble, gambader, se balancer sur l'escarpolette, se battre aussi. Mais depuis Adèle a grandi, c'est une adorable fillette qu'il tutoie encore, mais avec qui il n'ose plus se battre. Leur camaraderie devient insensiblement une tendre amitié :

Sa joue en fleur toucha ma lèvre en feu...

Hélas ! cette « ineffable aurore » est vite assombrie. Il faut quitter les Feuillantines, expropriées. Le 29 octobre 1812, Victor Hugo voit pleurer sa mère devant une affiche placardée sur un mur : « Par sentence du Conseil de guerre, ont été fusillés en plaine de Grenelle, pour crime de conspiration contre l'Empire et l'Empereur, les généraux Malet, Guidal et Lahorie. »

En 1813, le général Hugo revient d'Espagne après que les armées de Joseph Bonaparte ont été vaincues. Les désastres s'accumulent. Bientôt la France est envahie. Bravement, le général Hugo défend Thionville, où il ne capitule qu'en apprenant l'abdication de Napoléon. La restauration des Bourbons est accueillie avec transport par Sophie : la royauté lui rappelle sa jeunesse, et venge en quelque sorte l'infortuné Lahorie.

Au moment où la paix est signée avec les alliés coalisés, le général Hugo, vaincu, amer, réduit à l'état de demi-solde, aggrave le conflit avec sa femme en lui retirant les enfants pour les placer comme internes à la pension Cordier, où ils demeureront quatre ans pour préparer Polytechnique. Défense leur est faite de revoir leur mère, mais rien ne saurait les empêcher de lui témoigner la vive, la profonde affection qu'ils lui porteront toujours : ils lui écrivent tendrement et la voient aussi souvent que possible. Au cours de ces années, Victor se montre brillant élève et passe sans effort de seconde en première, puis en philosophie et en mathématiques spéciales. Déjà passionné de lettres, il admire par-dessus tout Chateaubriand, qu'il dévore en classe à l'abri d'un écran de dictionnaires. A la date du 10 juillet 1816, un de ses cahiers porte la déclaration devenue célèbre : « Je veux être Chateaubriand, ou rien. » Il avait alors quatorze ans !

Un an plus tard, ayant traduit Virgile en vers français et exprimé ses premières émotions en alexandrins encore un peu scolaires, il se risque à concourir pour le prix de poésie de l'Académie Française : ô joie ! il obtient une mention, premier encouragement à la carrière d'écrivain qu'il ambitionne, bien résolu à abandonner les sciences.

En août 1818, Victor quitte la pension et rejoint sa mère, installée rue Bonaparte depuis la décision judiciaire qui l'a séparée définitivement de son mari. Avec son frère Eugène, qui malgré des signes de déséquilibre mental paraît promis à un bel avenir, Victor fonde en 1819 une petite revue, « Le Conservateur littéraire », dans laquelle il se prodigue sous divers pseudonymes, pour soutenir ardemment la tradition classique contre les idées nouvelles. Toujours ensemble, ils participent à des Jeux Floraux d'académies de province qui les récompensent de prix flatteurs. Ils visent certes à gagner un peu d'argent pour aider leur mère, mais il s'agit avant tout pour Victor de se faire connaître, de briller aux yeux de la belle Adèle, qu'il voit maintenant chaque soir en accompagnant sa mère dans les visites quotidiennes qu'elle rend aux Foucher, ses meilleurs amis.

Cette assiduité attire l'attention sur les jeunes gens qui, au printemps de 1819, s'avouent qu'ils s'aiment. Mais il a 17 ans, elle 16 : il est un peu tôt pour songer au mariage, et ils se rendent parfaitement compte que la découverte de leur secret entraînerait leur séparation. Il faut donc feindre, ce qui donne à leur jeune amour un caractère délicieusement romanesque :

> *Elle m'aimait. Je l'aimais. Nous étions*
> *Deux purs enfants, deux parfums, deux rayons...*

Las ! les larmes ne tardent guère à succéder aux tendres serments échangés en cachette : l'idylle est découverte par Mme Foucher et les deux mères s'associent pour exiger la rupture, cependant que leur ambition blessée — chacune rêvant d'une union plus haute — entraîne entre elles une brouille passagère.

Le drame n'entame pas « le courage de lion » de Victor, et sa promesse « de n'avoir jamais d'autre femme que toi » parvient à l'aimée avant leur séparation, qui va durer dix longs mois.

Rude épreuve, mais qui, loin de l'abattre, déclenche chez lui une réaction passionnée de lutte et ouvre l'une des périodes les plus actives de sa vie : il se met au travail avec une sorte de rage, voulant à tout prix démontrer à sa mère comme aux Foucher qu'il est capable de se faire un nom, une situation, et par là d'assurer le bonheur de la femme de son choix. Voilà peut-être sa première leçon d'énergie, la première manifestation de cette « volonté de puissance » qui marquera toute sa vie. Sainte-Beuve le soulignera : c'est cette fièvre juvénile qui devait faire d'un adolescent « lyrique et combatif » un poète prodigieux.

Nuit funeste du 14 février 1820

Qu'il est cruel pour moi de mourir de la main d'un français !!!!

Le duc de Berry, fils cadet de Louis XVIII, fut assassiné par un républicain fanatique. Son geste ne servit que les royalistes, et la réaction des « ultras » triompha.

Adèle Foucher dessinait fort bien ; elle n'avait que 17 ans lorsqu'elle réussit ce portrait de Victor, son cher fiancé.

2. — BATAILLES ROMANTIQUES

En février 1820, l'assassinat du duc de Berry, neveu du roi, inspire à Victor Hugo une *Ode* que Louis XVIII apprécie et honore d'une gratification. Ce morceau de circonstance est doublement courtisan puisqu'il se propose aussi de séduire la famille Foucher, et y parvient par une dédicace flatteuse à M. Foucher. Ému, ce dernier offre à Victor l'occasion de revoir Adèle et permet aux jeunes gens de s'écrire, et d'espérer...

Un deuil affreux déchire ce bonheur entrevu : au seuil de l'été 1821, Sophie Hugo est emportée brusquement par la maladie. Le choc est terrible pour Victor, qui adorait sa mère :

O l'amour d'une mère ! amour que nul n'oublie !
Pain merveilleux qu'un dieu partage et multiplie !
Table toujours servie au paternel foyer !
Chacun en a sa part et tous l'ont tout entier !

Toute l'œuvre du poète est pleine d'effusions de tendresse et de reconnaissance pour cette mère parfaite qui l'a formé moralement, par sa bonté, par l'exemple quotidien de ses privations, de son dévouement et de son courage. Elle a su discerner ses dons et favoriser l'éveil de son génie, mais elle a surtout agi sur son cœur, sur sa faculté de sentir et de vouloir. Son influence est sensible également dans les idées politiques et l'attitude religieuse du jeune Hugo.

Quittant la maison maternelle déserte, le jeune homme désemparé s'installe, 30, rue du Dragon, dans une mansarde qu'il partage avec un cousin. Il vit là les jours de bohême qu'il racontera plus tard dans *Les Misérables*, en prenant les traits de Marius. Mais sa relative misère lui importe peu, puisqu'il se sait aimé d'Adèle, qu'il est autorisé à regarder comme sa fiancée. C'est le plus beau temps de toute sa longue existence.

Victor s'est également réconcilié avec son père, qui vit maintenant à Blois avec sa seconde femme. Il lui envoie ses poèmes et partage ses inquiétudes concernant son frère

Eugène, qui multiplie les signes de folie depuis la mort de leur mère. Eugène est jaloux de Victor, car lui aussi aime Adèle. De plus, il porte à sa belle-mère une telle haine qu'un jour il se précipitera sur elle un couteau à la main. Il faudra l'interner, et le malheureux restera à Charenton jusqu'à sa mort, survenue à 37 ans.

En 1822, au moment où le public est déjà conquis au lyrisme romantique par les *Méditations* de Lamartine, en même temps que Vigny publie ses premiers poèmes, Hugo voit paraître son premier recueil poétique, les *Odes*, chefs-d'œuvre de virtuosité sans sincérité, qui le montrent fidèle disciple de Chateaubriand et tout dévoué au trône et à l'autel. Louis XVIII ne s'y trompe pas et accorde une gratification que le jeune poète convertit aussitôt en un magnifique cadeau à sa fiancée : un châle de Cachemire. Le roi fait plus encore : il promet une pension de 1 000 F, qui sera ensuite doublée. Alors les Foucher estiment que Victor a maintenant les moyens de fonder un foyer.

Ivre de bonheur, ce garçon de vingt ans se voit accorder celle qu'il aime de tout son cœur et de toutes ses forces. Leur mariage est béni à Saint-Sulpice le 12 octobre 1822, dans la chapelle même où l'année précédente ont été célébrées les obsèques de Sophie Hugo. Adèle rayonne de joie. Le général n'assiste pas à la cérémonie, mais les amis sont tous là, notamment Lamartine, et les témoins du marié sont deux poètes, l'un promis à la célébrité, Alfred de Vigny, l'autre, Soumet, voué à l'oubli.

Victor Hugo aime sa femme d'un profond amour, très vrai et très pur :

> *Nous vivions cachés, contents, porte close,*
> *Dévorant l'amour, bon fruit défendu ;*
> *Ma bouche n'avait pas dit une chose*
> *Que déjà ton cœur avait répondu...*

Cette honnête ferveur de ses vingt ans marquera sa vie et son œuvre, assurant en lui la certitude que l'amour est la plus grande des forces morales, capable de transfigurer même les créatures les plus déchues : Marion de Lorme ou Juliette Drouet.

En juillet 1823 leur naît un fils, auquel on donne le prénom du général Hugo, Léopold ; né débile, l'enfant ne vit que trois mois. C'est à ce moment que Victor publie *Han d'Islande*, sorte de roman noir, hirsute et à peu près illisible, qui fait s'esclaffer la critique et ne trouve grâce qu'auprès de Charles Nodier, qui restera un ami fidèle.

Victor participe dans le même temps à la création de « La Muse Française », revue groupant les enthousiastes d'une nouvelle école littéraire. Peu après la publication des

Nouvelles Odes, en 1824, le jeune ménage s'installe 90, rue de Vaugirard. Tout près de là, au 94, vit Sainte-Beuve, qui n'est encore qu'un adolescent morose, que nous retrouverons bientôt.

En août 1824, une grande joie vient compenser chez les Hugo la perte de leur premier enfant par la naissance d'une fille que l'on prénomme Léopoldine, toujours en hommage au grand-père.

Louis XVIII mort, son frère Charles X lui succède en 1825. C'est alors que Victor, à vingt-trois ans, est fait chevalier de la Légion d'Honneur, faveur insigne qui récompense son zèle monarchiste mais aussi les prémices de son génie. Cet honneur est d'autant plus éblouissant pour le jeune poète qu'il a pour compagnon de promotion Alphonse de Lamartine, son aîné de douze ans, déjà illustre.

Cependant, les relations de Victor avec son père s'améliorent sans cesse. La seconde Mme Hugo est marraine de la petite Léopoldine et invite la famille à se réunir à Blois. C'est au cours d'interminables causeries entre père et fils, le demi-solde évoquant avec la chaleur d'une intime conviction l'époque révolutionnaire et l'épopée napoléonienne, qu'une lente métamorphose s'éveille sans doute dans l'esprit de celui qui écrira les pages admirables de *Mil huit cent onze* et de *Waterloo*. Le général prévoyait l'avenir : « L'enfant a été de l'opinion de sa mère, l'homme sera de l'opinion du père. »

Mais n'anticipons pas. Victor est bien royaliste, à ce point qu'il est invité à la cérémonie du sacre de Charles X. Depuis Blois, quatre jours de voyage le conduisent à Reims. Le voici, en habit à la française, l'épée au côté, qui d'une loggia de la cathédrale regarde se presser autour du trône semé de fleurs de lis la foule des prélats, des princes, des ambassadeurs, des femmes éclatantes de pierreries. A ce spectacle, qui rêverait de République ?

Peu après le sacre, Victor Hugo et Charles Nodier, accompagnés de leurs jeunes femmes, répondent à une invitation de Lamartine et le rejoignent dans son château de Saint-Point, près de Mâcon. De là, ils poursuivent leur voyage par Chamonix jusqu'en Suisse, avec l'intention d'en rapporter la matière d'un livre, qui ne fut jamais achevé. Par contre, en cette même année 1826, Hugo publie *Bug-Jargal*, dont il avait écrit une première version à l'âge de seize ans. Même remanié, ce mauvais roman, qui traite de la révolte des noirs de Saint-Domingue, est une imitation mélodramatique des romans populaires de l'époque.

En poésie, il fait paraître les *Ballades* à la suite d'une réédition des *Odes*. Si l'inspiration des *Ballades* manque souvent d'originalité, ses revenants, sorcières, fées et autres diableries du Moyen Age étant empruntés aux Anglais et Allemands contemporains, la forme marque un progrès certain : insolites, disloqués, jonglant avec la rime, ces vers ont de quoi surprendre et exaspérer les poètes de l'école traditionnelle. La critique reste donc silencieuse, ou ne se manifeste que par d'excessives sévérités.

Pourtant, une exception : deux articles élogieux paraissent, sans signature, dans « Le Globe ». Hugo s'informe : qui est-ce ? Il apprend que l'auteur est un jeune homme d'à peine vingt-deux ans, qui se nomme Sainte-Beuve et habite chez sa mère, 94, rue de Vaugirard. C'est ainsi qu'un jour de janvier 1827, la porte des Hugo s'ouvrit pour la première fois devant ce voisin amical, Sainte-Beuve, mince garçon de peu d'apparence, gauche, déjà voûté et plutôt laid, mais dont le regard disait l'intelligence exceptionnelle. En face du personnage secret, presque sournois, le ménage Hugo, radieux : Victor, dont le beau visage révèle déjà quelque chose de fort, de puissant et d'inspiré, et une jeune mère tenant dans ses bras son dernier-né, le petit Charles : Adèle aux yeux de velours, Adèle au visage si pur.

Depuis quelques années, Hugo se trouve mêlé à un mouvement « moderne » qui associe des peintres et des poètes, des sculpteurs et des auteurs dramatiques, dans une recherche qui adoptera l'étiquette « romantique », mot auquel Stendhal a donné un sens neuf depuis son essai paru en 1822 sur *Racine et Shakespeare*. Ce Cénacle, comme on l'appelle, retentit de l'écho des luttes qui divisent les ateliers d'Ingres et de Delacroix, parmi les peintres ; chez les écrivains les passions ne sont pas moins vives : Vigny, Musset, Lamartine, A. Dumas, Nerval, Sainte-Beuve, Th. Gautier, etc., tous cherchent lequel d'entre eux donnera force et clarté à leurs aspirations communes.

En 1827, les difficultés ne manquent pas pour Charles X, dont la politique ne satisfait personne, pas même ses amis. L'illustre soutien du trône, le plus célèbre écrivain français de ce temps, Chateaubriand, passe lui aussi à l'opposition, qui se renforce chaque jour. C'est dans ce climat que survient un incident, sans grande importance, mais gros de conséquences pour Victor Hugo : à une soirée donnée par l'ambassadeur d'Autriche, à Paris, les maréchaux Soult, Mortier et Macdonald sont annoncés par l'huissier en omettant volontairement leurs titres de ducs, titres donnés par Napoléon. Devant ce qu'ils regardent comme un affront, les trois maréchaux se retirent, et le scandale est énorme.

Par la solennité de son sacre à Reims, Charles X entendait manifester à tous son attachement aux traditions de l'Ancien Régime.

Mme *Victor Hugo, dans l'éclat de sa beauté un peu sévère, laisse transparaître le vide de son cœur. Son mari peut écrire : « ...elle ne vous aime pas. Elle ne vous hait pas non plus. Elle ne vous aime pas, voilà tout... »*

Hugo réagit comme si l'on avait insulté son propre père, comte d'Empire, ne l'oublions pas. De légitimiste, il est devenu bonapartiste par degrés et le voilà qui écrit d'un trait l'*Ode à la colonne*, chant d'orgueil national aussitôt reproduit dans plusieurs journaux et qui connaît un immense retentissement. Par ce geste, Hugo rompt l'envoûtement royaliste hérité de sa mère vendéenne et rallie le camp des libéraux. Voilà en quoi cette Ode épique marque une date dans l'évolution politique du poète, qui franchit peu après une autre barrière, littéraire celle-là, avec le premier drame qu'il ait écrit, ou plus exactement avec la Préface de *Cromwell*, sorte de « cri » de délivrance, dont l'intérêt surpasse infiniment l'œuvre elle-même, qui est injouable.

Certainement influencé par la découverte de Shakespeare, qu'il ambitionnera d'égaler, Hugo devient « super-romantique » et proclame, au nom de la liberté dans l'art : « *De la féconde union du laid et du beau, de la tragédie et de la comédie, naît le drame* », et encore : « *Il n'y a ni règles, ni modèles... Mettons le marteau dans les théories, les poétiques et les systèmes...* ». Cette préface enflammée devient le manifeste de la nouvelle école et Hugo s'affirme, en littérature, chef des romantiques, comme l'est Delacroix en peinture depuis « *La mort de Sardanapale* ». Pauvres classiques ! Les voilà près de succomber... Il est vrai que la tragédie est morte, que les « classiques » d'alors ont noms Delille, Legouvé ou Ducis, et que « la nouveauté » après quoi l'on soupire ne risque pas d'être plus affligeante !

Victor et Adèle habitent maintenant, rue Notre-Dame-des-Champs, une charmante maison qui ne désemplit pas de familiers aux noms célèbres : Nodier, Dumas, Vigny, beaucoup d'autres, et toujours Sainte-Beuve, qui loue un appartement à cinquante mètres de là.

A peu de jours d'intervalle, Adèle perd sa mère, Mme Foucher, et Abel, frère aîné de Victor, se marie. Un mois plus tard, le 23 janvier 1828, le général Hugo est foudroyé par l'apoplexie, âgé seulement de cinquante-cinq ans. Cet homme « au sourire si doux », et qui pleurait aux accents grandiloquents de l'*Ode à la colonne*, avait certainement été le brave homme que Victor Hugo découvrit assez tard. Pour mesurer l'influence du père sur le fils, il faudrait connaître leurs échanges d'idées, quand celui qui avait été « Brutus » évoquait sa jeunesse, le temps des luttes pour la liberté...

Noces, funérailles, naissance aussi : cette même année voit naître le second fils du poète, François-Victor. Avec 1829 commence pour Victor Hugo une des périodes les plus fécondes de sa vie. En janvier, il publie *Les Orientales*, où, en dépit du clinquant de turqueries de bazar abondent les beaux vers :

> *Que veux-tu ? fleur, beau fruit, ou l'oiseau merveilleux ?*
> *— Ami, dit l'enfant grec, dit l'enfant aux yeux bleus,*
> *Je veux de la poudre et des balles.*

La couleur est vive, l'expression a pris, par rapport aux *Odes*, de la force, de la grandeur, et l'ouvrage rencontre un accueil chaleureux auprès du public, sensibilisé à l'Orient par la révolte grecque, la guerre russo-turque et, bientôt, l'entrée des Français à Alger.

Depuis longtemps, la guillotine hante le poète, qui a assisté avec horreur à des exécutions. En citoyen conscient, il aborde le problème de face en écrivant *Le dernier jour d'un condamné*, éloquente et sincère protestation, dont le grand mérite est d'avoir devancé un mouvement d'opinion.

Hugo avait dans l'esprit le drame qui sera *Hernani*, lorsque le succès du *Cinq-Mars* de son ami Vigny lui inspire le sujet de *Marion Delorme*, qu'il intitule d'abord « Un duel sous Richelieu ». Il se met au travail le 1er juin 1829. La pièce est terminée le 24. En juillet, une réunion nombreuse, qui comprend notamment Balzac, Musset, Mérimée, Vigny, Dumas, Delacroix et l'inévitable Sainte-Beuve, écoute avec un intérêt passionné la première lecture du drame. Le directeur de la Comédie-Française, qui participait à la réunion, en sort conquis, et promet à Hugo de monter sa pièce. Mais il existe une censure royale, et celle-ci se prononce pour l'interdiction d'une œuvre qui risque, à ses yeux, d'inspirer de fâcheux parallèles entre Louis·XIII et Charles X.

Indigné, Victor Hugo se rend chez le roi pour plaider sa cause, mais ne peut obtenir la levée de l'interdiction. Il lui est en revanche offert une nouvelle pension de 4 000 F, qu'il refuse avec hauteur, ce qui conduit la presse à écrire : « La jeunesse n'est pas aussi facile à corrompre que l'espèrent MM. les ministres. » La constatation qui s'impose est ailleurs : monarchiste et catholique à ses débuts, le romantisme a révélé le fond de révolte de Victor Hugo.

Sa *Marion* refusée, Hugo reprend alors *Hernani*, qu'il avait en tête depuis longtemps et qu'il écrit en un mois. *Hernani* est reçu le 1er octobre et aussitôt mis en répétition au Théâtre-Français. Machiavélique, la censure royale ne s'oppose pas à une pièce dont l'extravagance rend le succès improbable ; elle juge préférable de laisser le public exécuter lui-même le romantisme.

Prévoyant que la lutte serait chaude, les « hernanistes » recrutent des défenseurs parmi la jeunesse chevelue, débraillée et exaltée des écoles et des ateliers, de telle sorte qu'au soir du 25 février 1830 le rideau se lève sur une salle houleuse, où « bourgeois » et « bandits » échangent dès les premières répliques des injures définitives. Pour les contemporains, cette « bataille », placée sous le signe du gilet rouge de Théophile Gautier, revêt une importance historique.

La pièce connut seulement 45 représentations, toutes tumultueuses, mais cela constituait néanmoins une victoire pour le drame romantique, qui devait régner sur le théâtre français pendant quinze ans grâce à Vigny, à Hugo, et surtout grâce à Alexandre Dumas, auteur du fameux *Henri III et sa cour*, joué dès 1829 et première exploitation populaire des thèmes fournis par les grandes chroniques historiques qui paraissaient alors.

A propos d'*Hernani* et de *Marion Delorme*, il faut convenir que Victor Hugo n'a pas l'intelligence scénique de Dumas et que ses drames paraissent enfantins, faux, et d'une surprenante pauvreté psychologique. Un demi-siècle plus tard, Lanson exprimera l'opinion générale en écrivant que Hugo « dresse gauchement son intrigue et ne sait pas la conduire. » Il soulignera de même que « les Grecs et les Turcs de Racine sont bien plus près de nous, et par leurs actes, et par leurs sentiments, que les Espagnols et les Français de V. Hugo. » Ne nous moquons pas aujourd'hui de ces peintures où

la démesure le dispute à l'incohérence. Entre un mélo-
drame du type *Tour de Nesle* et les drames de Victor Hugo,
la beauté des vers fait toute la différence, et le lyrisme du
style, qui est d'un grand poète. En tant que théâtre, c'est
du mauvais théâtre.

*_**

Une conséquence imprévue de la bataille d'*Hernani*
fut l'obligation, pour la famille Hugo, de quitter la maison
de la rue Notre-Dame-des-Champs. La propriétaire, gênée
par les allées et venues bruyantes des partisans du poète, ne
pouvait retrouver la paix qu'à ce prix.

Hugo élit domicile dans un quartier neuf et dans la
seule maison alors bâtie rue Jean-Goujon. C'est là que
naît la dernière enfant du couple, la petite Adèle, qui
a pour parrain Sainte-Beuve, devenu inséparable des
Hugo.

Charles de Sainte-Beuve, qui se fera connaître pour l'un
de nos plus grands critiques littéraires, n'est encore qu'un
journaliste, un poète ignoré. Son obscurité lui pèse. Il
envie autant qu'il admire son grand ami Hugo, auprès
duquel il est réduit au petit rôle de secrétaire. Mais il
a la joie d'être toujours mêlé à l'intimité du couple ;

il approche sans cesse la jeune et brune Adèle dont le doux regard, le rire sain illuminent sa morne existence.

L'épouse heureuse, inconsciente des sentiments que lui porte ce pâle comparse, mettra longtemps à interpréter la mélancolie de ce garçon délicat et sensible, qui parle et écoute si bien.

Excellente portraitiste, Mme Hugo a souvent pris ses enfants pour modèles. Voici son fils Charles, lorsqu'il avait 7 ans.

En plein romantisme, l'illustration dramatique n'est pas en retard sur le texte. Voici la mort d'Hernani, Acte V, scène VI. Comment ne pas être ému?

L'imagerie du temps rend bien, par contre, la passion qui animait les élans populaires, comme lors de cet exploit : la prise d'un canon par les émeutiers, en 1830.

3. — ...COMME UN ÉCHO SONORE

L'opposition libérale est sortie renforcée des élections de juillet 1830. Persuadé que nul ne songe à renverser son trône et que la prise d'Alger assure au contraire sa popularité, Charles X croit devoir faire preuve de fermeté : il promulgue le 26 juillet les ordonnances nécessaires pour dissoudre la Chambre et museler la Presse.

Le lendemain même, Paris se hérisse de barricades et la révolution éclate. De son nouvel appartement, tout proche des Champs-Elysées, Hugo entend le roulement des fourgons d'artillerie et, au loin, le bruit de la fusillade et l'appel du tocsin. Dans les rues étroites du Paris d'alors, la population en armes a raison de troupes peu nombreuses, qu'elle contraint à abandonner la ville. Trois journées, les *Trois Glorieuses*, obligent le roi vaincu à prendre le chemin de l'exil : le drapeau blanc gît dans le sang et la poussière.

Durant ces tristes jours, Hugo s'est préoccupé de mettre à l'abri sa famille et ses manuscrits, mais n'a joué aucun rôle. Il n'a pris parti ni pour les insurgés, comme Delacroix, ni pour les loyalistes, comme Vigny. Bien qu'ayant perdu la ferveur royaliste de son enfance, Hugo tient à marquer son respect pour le roi qui s'éloigne : « *Pas d'outrage au vieillard qui s'exile à pas lents !* » Aucun doute, Hugo est bien du parti de l'ordre, ce qui n'est pas incompatible avec la glorification des martyrs de la Liberté, telle qu'il la chantera seulement un an plus tard, avec les accents pathétiques de l'*Hymne aux morts de juillet :*

> *Ceux qui pieusement sont morts pour la patrie*
> *Ont droit qu'à leur cercueil la foule vienne et prie...*

C'est pendant l'insurrection parisienne que Victor Hugo écrivit les premières pages de *Notre-Dame de Paris*. Depuis deux ans il s'était engagé à fournir à son éditeur un roman historique, conçu sur le modèle des romans de Walter Scott, qui connaissaient alors une immense faveur. D'abord réticent, puis conquis par l'étonnante documentation rassemblée grâce à l'amitié du premier vicaire de la cathédrale,

Hugo s'isole et s'enferme dans sa création comme dans une prison. Le livre est achevé en janvier et paraît en février 1831. Malgré l'hostilité de la plupart des journaux, il obtient un succès extraordinaire : Esmeralda la bohémienne, Quasimodo héroïque et difforme, le fourbe Claude Frollo, sont des personnages sommaires, tout en surface, mais leur pittoresque plaît davantage au grand public qu'un Julien Sorel et toute la psychologie de Stendhal, dont *Le Rouge et le Noir* est publié presque au même moment. Cependant, *Notre-Dame de Paris* vaut par l'évocation grouillante du vieux Paris et la vision grandiose de la cathédrale, pages puissantes qui donnent une âme au livre et justifient l'opinion de Michelet : « Hugo a marqué ce monument d'une telle griffe de lion que personne, désormais, ne se hasardera d'y toucher ! »

Avec le débonnaire Louis-Philippe, roi des Français, plus de censure : *Marion Delorme* peut enfin sangloter et gémir devant un parterre qui, n'étant plus « noyauté » de partisans exaltés comme pour *Hernani*, exprime des sentiments mêlés. Les représentations, très agitées, se soldent par un demi-échec.

En revanche, la publication, en décembre 1831, des *Feuilles d'Automne* est très favorablement accueillie. C'est à coup sûr ce que Hugo a fait de mieux jusque-là : une poésie saine et solide, qui ne doit rien aux passions orageuses ni aux inquiétudes maladives. Les vers, absolument neufs pour l'époque, abondent en hardiesses, en images fulgurantes qui font écho, par métaphores et symboles, aussi bien aux idées à la mode qu'aux grands problèmes éternels. Hugo révèle ici la dominante de son génie en invoquant son « âme de cristal » :

> *Mon âme aux mille voix, que le Dieu que j'adore*
> *Mit au centre de tout comme un écho sonore.*

L'année 1832, qui voit la mort du roi de Rome et met fin au vague bonapartisme de Victor Hugo, est marquée pour lui par un nouveau déménagement, par l'échec du *Roi s'amuse* et par la plus cruelle atteinte au bonheur de son foyer. En octobre, le poète et sa famille sont venus habiter au N° 6 de la place des Vosges, alors appelée place Royale, dans le vieil hôtel Guéménée où la tradition veut qu'ait demeuré Marion de Lorme, et qui est devenu aujourd'hui le musée Victor-Hugo.

C'est pendant le déménagement que l'infortuné *Roi s'amuse* coule à pic au cours d'une unique représentation, d'ailleurs troublée par l'annonce d'un attentat contre Louis-Philippe. Nul ne songe à regretter que la plus mauvaise pièce en vers de notre auteur n'ait survécue que dans l'opéra de Verdi, *Rigoletto*.

Malgré les fortunes diverses des productions de son génie, les hauts et les bas de toute carrière artistique, l'ascension de Victor Hugo est évidente : à peine âgé de trente ans, il est célèbre, entouré d'admirateurs, comblé d'honneurs. Cette réussite ne lui épargne pas la plus intime déception : devenant de plus en plus hostile, sa femme s'éloigne de lui, et le grand homme, dévoré de jalousie, ira jusqu'à chasser Sainte-Beuve.

Hugo tire les conclusions de l'attitude de son épouse et se détache d'elle à son tour. Lorsqu'il rencontre dans un bal du nouvel an 1833 la très belle Júliette Drouet, il ne résiste pas aux séductions de cette jeune femme, ancien modèle et comédienne de hasard, qui a déjà inspiré de nombreuses « passions ».

Les répétitions de son premier drame en prose, *Lucrèce Borgia*, fournissent bientôt au poète l'occasion recherchée d'offrir un petit rôle à Juliette. Splendide dans son interprétation de la princesse Négroni, elle achève de conquérir son admirateur, qui écrit dans son carnet intime : « Qu'elle est jolie, qu'elle est belle, quelle taille, des épaules superbes, un charmant profil, quelle charmante actrice... » On le voit, il est sans défense. Quant à Juliette, malgré son passé, elle a l'âme droite et souhaite se consacrer au bonheur d'un seul homme, pourvu qu'il soit loyal et bon. Or Hugo est l'honnête homme de ses rêves, charmant et très épris d'elle, et de surcroît c'est un grand homme !

Ce qui naît entre eux, un soir de février 1833, est bien davantage qu'une passagère entente, c'est une merveilleuse communion : cinquante ans d'une affection réciproque, traversée de crises, mais toujours renaissante. Cet attachement profond, Juliette sait le mériter par son caractère et sa conduite, se faisant toute petite devant son grand homme et lui donnant l'illusion qu'il la modèle selon ses vœux.

Les « orages tant désirés » de l'amour ne détournent pas Hugo de son travail acharné, dont il tire ses seules ressources et qui doit maintenant lui permettre d'assumer les frais écrasants de sa double vie.

Lucrèce Borgia ayant été bien accueillie par le public, Hugo fait représenter en novembre suivant une autre pièce en prose, *Marie Tudor*, qui surpasse encore en situations pathétiques les excès de Lucrèce. Mais, inconstance ou fatigue du public, *Marie Tudor* est sifflée. Juliette, critiquée dans le rôle qu'elle interprète, s'interroge sur son avenir d'actrice. Pour la rassurer, Hugo use de recommandation et la fait engager à la Comédie-Française, où d'ailleurs

Illustration typique de « Notre-Dame de Paris » : la mort d'Esmeralda, par Maurin. Ici encore, le texte est bien servi.

* * *

Après le demi-succès d'*Angelo*, drame médiocre qui bénéficiait pourtant de la brillante interprétation de Mlle Mars, Hugo publie en 1835 un nouveau recueil poétique, *Les Chants du Crépuscule*, qui mêle à beaucoup de pièces à caractère politique, véhémentes et passionnées, de magnifiques vers d'amour consacrés à Juliette Drouet, comme ce poème tant de fois cité et qui est sans doute l'un des plus beaux cris de la poésie universelle :

> *Puisque j'ai mis ma lèvre à ta coupe encor pleine*
> ...
> *Je peux maintenant dire aux rapides années :*
> *— Passez ! passez toujours ! je n'ai plus à vieillir !*
> *Allez-vous en avec vos fleurs toutes fanées :*
> *J'ai dans l'âme une fleur que nul ne peut cueillir !*

Il n'empêche que l'événement littéraire de l'année soit *Jocelyn* et que le poète reçu à l'Académie Française sous les ovations soit Lamartine. Hugo se hasarde alors à poser sa candidature, appuyée par Chateaubriand et par Lamartine, et deux fois de suite il se voit préférer, à la surprise générale des personnalités de second plan.

En 1837 paraissent *Les Voix intérieures*, où le poète donne véritablement la mesure de son génie. Ce recueil contient le premier chef-d'œuvre du symbolisme, intitulé de façon provocante : « La Vache », mais aussi nombre de poèmes véritablement virgiliens, où le style, le ton, la coupe même des vers ne seront pas surpassés dans toute son œuvre.

> *A quoi je songe ? — Hélas ! loin du toit où vous êtes,*
> *Enfants, je songe à vous ! à vous, mes jeunes têtes,*
> *Espoir de mon été déjà penchant et mûr,*
> *Rameaux dont, tous les ans, l'ombre croît sur mon mur,*
> *Douces âmes à peine au jour épanouies,*
> *Des rayons de votre aube encor tout éblouies !*

Ici, pas d'épithètes insistantes, nulle rhétorique vaine : c'est l'idée pure traduite le plus sobrement possible, ce qui est rare chez Hugo, trop souvent préoccupé de *l'effet* et cédant à sa stupéfiante facilité verbale.

Si l'on excepte ses deux premiers recueils poétiques, qui sont avant tout des exercices de virtuosité, tout ce que Victor Hugo a produit depuis dix ans montre qu'il ne considère pas la poésie comme un passe-temps. Son lyrisme est très éloigné de celui de ses grands contemporains, — Lamartine, Vigny, Musset — surtout préoccupés de traduire des états

Très lié aux Hugo, le peintre Louis Boulanger a fait de bons portraits de toute la famille. Celui-ci montre Charles et François-Victor, âgés respectivement de 14 et de 12 ans.

*
*   *

Au temps de sa splendeur, Juliette a accumulé des dettes qui la poursuivent et bouleversent les sages habitudes d'économie de son compagnon. Des querelles les opposent à ce sujet, si vives qu'un jour le mot « Adieu » est prononcé par l'incomprise, qui s'enfuit à Brest. Victor se précipite à sa suite, et leur tendre voyage de retour à travers la Bretagne lui donne le goût de prendre désormais Juliette pour compagne de route dans ses voyages, qui deviendront de plus en plus fréquents, et dont il tirera d'admirables récits et d'innombrables poèmes.

D'août à octobre 1839, ils sont ensemble en Alsace, en Suisse, en Provence, et l'année suivante les voit parcourir la vallée du Rhin, de Strasbourg à Cologne.

Au début de 1840, nouvelle tentative et nouvel échec de Victor Hugo à l'Académie Française. C'est alors qu'il fait paraître son sixième recueil poétique, « *Les Rayons et les Ombres* », le plus humain, le plus ému, et qui contient une pièce exquise : « *La tristesse d'Olympio* », d'une douceur grave et triste, où jaillit cette exclamation vibrante :

> *Que peu de temps suffit pour changer toutes choses !*
> *... Mais toi, rien ne t'efface, Amour !*

La douce « *Didine* » avait 13 ans lorsque sa mère fit d'elle ce beau dessin au crayon, qui la représente lisant un livre d'heures.

4. — LA CONQUÊTE DES HONNEURS

L e long du Rhin romantique, Hugo avait été vivement frappé par la beauté des burgs, forteresses médiévales fièrement dressées sur « des monceaux de lave ». Il en avait souvent reproduit les silhouettes tourmentées en d'admirables dessins, mais ne cessait d'y songer, enveloppant ses souvenirs visuels d'une atmosphère de légende.

Le succès de *Ruy Blas* ayant par ailleurs ranimé en lui le démon du théâtre, ses rêveries prirent la couleur et les sonorités du plus absurde des drames : *Les Burgraves*. Cette évocation de l'Allemagne féodale et de sa confuse grandeur dépasse en complications, en invraisemblance, en outrances, tout ce que Hugo avait inventé jusqu'alors ; mais on y

* *

Au début de l'année, Hugo avait marié sa fille aînée, sa « Didine » chérie, avec Charles Vacquerie, un charmant garçon de condition modeste. Mariage d'amour : la vie s'ouvre pleine de promesses devant ces jeunes gens qui s'aiment.

Hugo, après cette séparation qui lui est très sensible :

... Sois son trésor, ô toi qui fus le nôtre !

et l'effondrement des *Burgraves* qui l'affecte tout autant, décide de s'octroyer une de ses joies préférées : un nouveau et grand voyage avec Juliette, non plus vers l'Est comme aux années précédentes, mais vers les Pyrénées, vers l'Espagne où tant de souvenirs le réclament.

C'est ainsi qu'en juillet 1843, une voiture de louage emporte le couple — qui se cache sous le nom de « M. et Mme Georget » — sur les routes ensoleillées du midi de la France. Par Bordeaux, ils atteignent Bayonne, où avec émotion le poète se revoit tout enfant auprès de sa mère, attendant le convoi qui les escortera jusqu'à Madrid. Comme autrefois, c'est par Irun qu'ils entrent en Espagne, mais, déçus par San Sebastian trop peu espagnol à leur goût, ils s'attardent en un itinéraire devenu de nos jours un « classique » touristique : Fuenterrabia, Pasajes, Hernani, Renteria, charmants villages dont le pittoresque les enchante. Ils goûtent ensemble, dans les montagnes, devant la mer, un bonheur simple, paisible et profond, ressenti par Hugo, dans la pleine vigueur de ses quarante ans, comme une halte dans sa vie houleuse. Il ne sait pas que ce calme précède l'orage. Après la découverte de Pampelune, qui transporte le poète d'admiration et résumera à ses yeux toute l'Espagne, le couple est de retour en France en septembre, remontant vers Paris par courtes étapes. Après Agen, Périgueux, Saintes, les voyageurs abordent à l'île d'Oléron, qui laisse à Hugo une impression sinistre : « J'avais la mort dans l'âme... il me semblait que cette île était un grand cercueil couché sur la mer... ».

Revenus sur la terre ferme, près de Rochefort, ils font halte à Soubise dans un café. En apportant de la bière, l'aubergiste tend à Hugo un journal local, que le poète parcourt d'un regard distrait. Tout à coup on le voit pâlir, porter la main à son cœur comme pour l'empêcher d'éclater, se lever, puis retomber en chancelant. Alors Juliette s'empare du journal, étouffe un cri et se précipite en sanglotant contre Victor Hugo effondré ; l'article qu'elle vient de lire fait écho à un fait-divers déjà vieux de cinq jours : au cours d'une banale partie de canot dans l'estuaire de la

Seine, à Villequier, Léopoldine Hugo s'est noyée avec son jeune époux, sept mois à peine après son mariage...

Égaré de douleur, le malheureux père n'a qu'une pensée, être à Paris au plus vite, auprès de Mme Hugo frappée au cœur comme il l'est lui-même. Il lui écrit une lettre déchirante, qui s'achève sur ces mots : « Que cet affreux coup, du moins, resserre et rapproche nos cœurs qui s'aiment... »

Pendant que la diligence grignote l'interminable route, Victor, les yeux rougis, évoque tristement des joies anciennes : ce premier enfant d'un amour heureux, qui avait parfumé de douceur sa jeunesse ; ces rires à trois, lorsque Didine se glissait au matin dans le grand lit de ses jeunes parents ; la première communion, dans la rustique petite église de Fourqueux ; le mariage, si proche qu'il semble d'hier...

Pauvre Hugo, son deuil est partagé par la France entière : la famille royale même en prend sa part. Mais toute sa gloire n'empêche qu'il ne se sente blessé à mort : sa plaie ne se fermera jamais. Pendant des mois, il porte sa lourde peine en silence, entre une femme chargée de reproches et une compagne pleine de remords. Un an, jour pour jour, après la disparition de Léopoldine, la voix du poète s'élève, sublime, dans une page des *Contemplations*, la plus belle peut-être

« *Hugo, lorgnant les voûtes bleues,*
Au Seigneur demande tout bas,
Pourquoi les astres ont des queues,
Quand les Burgraves n'en ont pas ! »

*Leurs dons poé-
tiques, leur com-
mune générosité
de sentiments,
suffirent à rap-
procher Lamar-
tine et Hugo.
Mais ils n'a-
vaient ni les
mêmes idées, ni
le même lan-
gage. Ils étaient
de « races » dif-
férentes.*

qu'ait jamais inspirée la douleur résignée. S'adressant à Dieu, il interroge :

> *Dans vos cieux, au-delà de la sphère des nues,*
> *Au fond de cet azur immobile et dormant,*
> *Peut-être faites-vous des choses inconnues*
> *Où la douleur de l'homme entre comme élément.*

Le drame de Villequier a transformé profondément Victor Hugo. Quand il sortira de son silence, il sera enclin, sous l'effet de la souffrance, à être plus grave, plus « penseur », comme il dit, et même ses préoccupations politiques se teinteront progressivement d'un intérêt véritable pour le peuple et ses *Misères*, dont il sera bientôt question.

Au début de 1845, devenu directeur de l'Académie Française, Victor Hugo y reçoit le critique Saint-Marc Girardin et aussi, ce qui est surprenant, Sainte-Beuve, qu'il accueille sans hostilité, avec même des appréciations justes, sinon chaleureuses, sur son œuvre, lui donnant ainsi une belle leçon de mansuétude.

Enfin le 13 avril, Hugo touche au but : il est nommé pair de France par le roi Louis-Philippe, ce qui ne surprend personne mais n'est pas du goût de tout le monde. Le *Charivari* ironise : « M. Victor Hugo est nommé pair de France. Le Roi s'amuse. »

A la chambre des Pairs, Hugo siège auprès de Montalembert, du maréchal Soult, du chancelier Pasquier, du duc de Choiseul-Praslin, etc ; il est environné des témoins et des survivants de l'ancien régime, de la révolution et de l'empire, ce qui donne une idée des tendances de la Haute Assemblée, contre laquelle grondent les colères populaires.

Une grave crise économique, due en grande partie à de mauvaises récoltes, sévit depuis 1846. La disette règne dans les campagnes, la misère des ouvriers est affreuse. Quelques scandales financiers, habilement exploités par les adversaires du régime, ajoutent encore au désarroi des esprits.

Au contraire de Lamartine, qui déclare que « La France s'ennuie » et dont les écrits encouragent aux « illusions dangereuses », Hugo, parti de rien et qui a brillamment assuré son établissement dans le monde, se pose en défenseur des valeurs bourgeoises. Il a bien en chantier un ouvrage au titre blâmable : *Les Misères*, qui deviendra plus tard *Les Misérables*, mais le roi n'en sait rien, et sa confiance est telle qu'il songe à Hugo comme premier ministre.

L'ensemble des crises, sociale et morale, financière et politique, se concentre autour du conflit qui oppose au gouvernement les partis de tendances libérales.

A Paris, l'organisation d'un banquet pour le 22 février 1848, puis son interdiction par les autorités, entraîne brusquement de violents remous. Les manifestations deviennent si vives que Louis-Philippe se résigne à renvoyer Guizot. Mais le 23 au soir, une échauffourée devant le ministère des Affaires Étrangères cause la mort de seize manifestants. Des républicains promènent toute la nuit leurs cadavres sur une charrette à travers les rues de la capitale et le lendemain, 24, Paris se couvre de barricades. Découragé notamment par l'hostilité de la garde nationale, qui s'allie aux émeutiers, Louis-Philippe abdique en faveur de son petit-fils, le comte de Paris. Les députés s'apprêtent à offrir la régence à la libérale duchesse d'Orléans — cette amie de Hugo — lorsque les républicains envahissent la Chambre et font élire un gouvernement provisoire, auquel participent Lamartine, Ledru-Rollin, Arago, Louis Blanc, etc...

Ce gouvernement proclame aussitôt la République et seule l'éloquence de Lamartine fait prévaloir le drapeau tricolore sur le drapeau rouge, que voulaient imposer les ouvriers révoltés. Mais, sans autorité et sans argent, cette République improvisée n'est nullement préparée à se défendre contre les impatiences révolutionnaires des uns et les inquiétudes des autres. Incapable de résoudre aucun des problèmes qui agitent l'opinion, elle croit faire assez en répandant les idées démocratiques au moyen d'une Presse qui prolifère.

Hugo, qui a perdu son titre de pair, aboli par la République, est devenu maire du VIIIe arrondissement. En avril, il se présente aux élections à la Constituante, mais n'est pas élu, alors que Lamartine obtient un triomphe. En juin, des élections complémentaires font enfin de lui un député de Paris, sur une liste de droite, notons-le. Il siège à l'Assemblée nationale — ô ironie ! — aux côtés de Louis Bonaparte, neveu de Napoléon, qui a obtenu le même nombre de voix et les mêmes suffrages que lui.

Si Victor Hugo n'est alors qu'assez peu républicain, comme ses carnets le font connaître par des réflexions de ce genre : « J'aime mieux 93 que 48. J'aime mieux voir patauger les titans dans le chaos que les jocrisses dans le gâchis. », il semble ne pas comprendre les événements dont il est témoin et, de toute évidence, au moins n'est-il pas de ceux qui s'apprêtent à « en finir » avec la classe ouvrière. Ce qu'il éprouve, c'est de l'angoisse : de tragiques événements vont lui donner raison, aggravant le trouble de cette âme sincère et généreuse.

En juin 1848, obligés d'opter entre un engagement dans l'armée et le renvoi des *Ateliers nationaux*, qui occupent 120 000 chômeurs à d'inutiles travaux, les ouvriers, las d'attendre une amélioration de leur sort, décident de résister. Le 23 juin, les faubourgs Saint-Antoine, du Temple, Saint-Jacques, Saint-Denis, se couvrent de barricades. C'est une « révolution du désespoir ». L'Assemblée affolée en confie la répression au général Cavaignac et à 30 000 hommes de troupe, renforcés de volontaires venus combattre l' « anarchie ». Répression féroce : des morts par centaines, par milliers ; des exécutions sommaires ; des déportations en masse...

Pendant ces journées de sang, le représentant du peuple Victor Hugo va de barricade en barricade, portant des paroles de paix au moment même où des insurgés forcent sa porte et tentent de mettre le feu à son appartement.

Dans son attitude, où il entre autant de courage que de confusion, peut-on prévoir l'évolution qui fera de lui un homme « de gauche » ?

Seize cadavres avaient suffi à chasser Louis-Philippe. La République, manœuvrée par des conservateurs, survivra-t-elle au massacre de ses partisans les plus authentiques, les plus malheureux ?

« *La Comédie Humaine* », *c'est aussi dix heures de travail quotidien pendant vingt ans. Créateur infatigable, servi par une imagination puissante, Balzac fut avant tout le peintre de la nature humaine. Mieux que Hugo, il a su créer des personnages vigoureusement vrais.*

5. — DE LA RÉVOLTE A L'EXIL

Son domicile ayant été « profané » par l'irruption mena-
çante des émeutiers, la famille Hugo juge prudent de
l'abandonner en faveur d'un nouvel et vaste appartement,
situé 37, rue de la Tour-d'Auvergne. Ce faisant, Victor Hugo
cède aux prières de sa femme ; lui, il regrettera toujours
son cher logis de la place des Vosges, où tant de souvenirs
restent attachés, au long de seize années qui furent témoins
de son extraordinaire ascension sociale. Il ne peut oublier
les soirées exaltantes où les amis de la première heure,
Lamartine, Nodier, Dumas, mêlés aux écrivains et aux
artistes de la « nouvelle vague » : Gérard de Nerval, David
d'Angers, Théophile Gautier, Théodore de Banville, et

tant d'autres, jamais obscurs, formaient autour de lui comme une cour permanente d'admirateurs. Avec la même complaisance — sa vanité est monumentale — il évoquera longtemps les visites dont leurs Altesses le duc et la duchesse d'Orléans honorèrent sa maison...

Cela, c'est du passé. Aujourd'hui, dans le désordre d'un déménagement, Hugo ouvre sa porte à un personnage insolite dans ce décor de caisses entassées. Vaste houppelande, gibus enfoncé sur les yeux, le visiteur se nomme :

— Louis-Napoléon Bonaparte

— Vous ici !...

— J'ai à vous parler.

Dans cette antichambre encombrée, assis côte à côte sur un coffre, voilà ce prince romanesque, ancien prisonnier d'État, écrivain socialiste et candidat à la présidence de la République, qui expose ses vues à son collègue, qui cherche à se justifier et à convaincre l'illustre poète, dont l'influence sur l'opinion publique est immense.

D'une voix grave, teintée d'accent étranger, le neveu de l'Aigle dit qu'il n'est pas un grand homme, qu'il ne cherche pas à recommencer Napoléon, et que toute son ambition consisterait à imiter Washington et à instaurer dans l'ordre la plus juste des démocraties.

Peu réaliste et volontiers rêveur en matière politique,

Hugo se laisse séduire par d'aussi vagues formules et promet de soutenir la candidature de Louis-Bonaparte. Quelques jours plus tard, le journal *l'Evénement*, qui appartient au poète, commence une campagne insidieuse : « La France... a besoin d'un homme qui la sauve et, ne le trouvant pas autour d'elle dans la sombre tempête des événements, elle s'attache, avec un suprême effort, au glorieux rocher de Sainte-Hélène. »

Un peu grâce à Hugo, qu'il a dupé sur l'essentiel, le prince Napoléon est depuis décembre 1848 Président de la République. S'il n'a pas encore compris que la République est liquidée, Hugo accentue cependant son opposition à la politique de droite et s'écarte des conservateurs : « Etre de cette majorité ? Préférer la consigne à la conscience ? Non ! » Sa rupture définitive avec le « parti de l'ordre » peut se dater du 3 juillet 1849, lorsque la nomination d'une commission parlementaire d'enquête sur la misère donne au futur auteur des *Misérables* l'occasion de prononcer un discours qui fait scandale : « Il faut profiter de l'ordre reconquis pour relever le travail, pour créer sur une vaste échelle la prévoyance sociale, pour substituer à l'aumône qui dégrade, l'assistance, qui fortifie. » Hué par les conservateurs, il stupéfie la gauche, qui se méfie d'une telle recrue.

En janvier 1850, prenant la parole à la Chambre contre

77

la loi Falloux sur l'enseignement, Hugo s'attaque, non à la religion, mais au parti clérical, qu'il accuse de vouloir faire la nuit dans les esprits et de « mettre un jésuite partout où il n'y a pas un gendarme. » Enfin entendu par la gauche, il est longuement applaudi quand il achève sa diatribe sur ces mots : « Vous ne voulez pas du progrès ? Vous aurez les révolutions ! »

Ceci montre bien que Hugo ouvre les yeux et que la secousse de 1848 l'a délivré de ses illusions sur les « bien-pensants », ces gens parmi lesquels il croyait avoir trouvé sa place naturelle. Ici, le critique Henri Guillemin nous invite à remarquer : « Hugo choisit la République à l'heure où la vague se retire », ce qui démontre « un comportement noble, un attachement sincère à ce que l'on croit juste et vrai. »

Le 18 août 1850, dans la rue Fortunée qui porte aujourd'hui son nom, Balzac meurt.

Devant le cercueil du plus grand prosateur français, Hugo prononce un discours d'une haute tenue où il rend hommage au génie d'un homme qui avait dit de lui : « Hugo n'est pas *vrai* », mais qui comptait parmi ses amis

Louis
Boulanger
1837.

Le poète des « Voix Intérieures » a 35 ans. Ses contemporains, amis ou ennemis, reconnaissent en lui le premier écrivain de sa génération. De grands honneurs l'attendent : Académie française, familiarité du roi, Pairie...

et auquel une admiration réciproque l'unissait. Les *Misérables* ne proviennent-ils pas, pour partie, de la *Comédie humaine ?*

Cependant les événements politiques suivent leur cours et, après l'essai malheureux d'une vraie République, inclinent le pays vers un régime d'autorité.

Hugo se détache de plus en plus de Louis-Napoléon, en qui il avait cru voir un champion du libéralisme, alors qu'il se révèle n'être qu'un ambitieux. Bientôt, il le combat ouvertement dans *l'Evénement*, ce même journal qu'il avait fondé un an plus tôt pour le soutenir.

Le 17 juillet 1851, au cours d'une discussion sur le projet de révision de la Constitution, Hugo arrache son masque au Prince-Président : « Quoi ! parce que nous avons eu Napoléon le Grand, il faut que nous ayons Napoléon le Petit ! » La révision est repoussée, ce qui détermine Louis-Napoléon à choisir le coup de force, qui éclate à l'aube du 2 décembre, jour anniversaire du sacre de Napoléon 1er. Des adversaires politiques, des généraux sont arrêtés, cueillis dans leur lit. 300 députés hostiles, réunis pour protester à la mairie du Xe arrondissement, sont enfermés dans une caserne.

Comme tant d'autres en donnent l'exemple, Hugo

Hugo répugnait aux violences de la guerre civile. Député « con-servateur libéral », il tenta en 1848 de dissuader les émeutiers de poursuivre une lutte sans espoir. En réponse, les ouvriers du Fau-bourg Saint-Antoine envahirent son appartement de la place des Vosges, avec l'intention d'y mettre le feu.

pourrait se terrer, se taire, voire amorcer un revirement. Non, il choisit l'action et le péril ; il lance un appel à la résistance, sachant ce qu'il joue : sa liberté, sa vie peut-être. Courageusement, il se jette dans la rue, haranguant le peuple aux côtés du député Baudin, qui se fera tuer rue Saint-Antoine sur une barricade : « Vous allez voir comment on meurt pour 25 F par jour. » Mais le 4 décembre, sur les boulevards, c'est la tuerie. Morny, le demi-frère de Louis-Napoléon, a donné l'ordre de « frapper ferme » : des femmes, des enfants, des passants tombent sous les feux de salve. C'est la fin. Accablé par trop d'échecs successifs, le peuple parisien courbe la tête. Hugo, que la police a ordre d'arrêter, doit se résigner à se cacher pendant quelques jours, grâce au dévouement de Juliette Drouet, qui le 11 décembre l'aide à s'enfuir pour Bruxelles, déguisé en ouvrier.

Cependant que le décret d'expulsion contre Victor Hugo n'est officiel que depuis le 9 janvier 1852, Adèle Hugo, demeurée à Paris, se comporte au mieux des intérêts de son mari, obtenant de relations influentes que les droits d'auteur du poète et son traitement d'académicien lui soient versés. Mais elle ne peut empêcher la vente aux enchères de son mobilier, et assiste impuissante à la dispersion de tout le bric-à-brac d'antiquailles que Hugo avait entassé depuis trente ans. Pendant que les curieux se pressent dans l'appartement et que certains font la queue pour s'asseoir quelques instants dans le fauteuil du Maître, Adèle vide des meubles, trouvant parfois au fond d'un tiroir des lettres d'amour reçues par son époux...

A Bruxelles, où Juliette l'a rejoint, Hugo mène la vie simple et digne qui convient au proscrit glorieux qu'il est devenu. Installé sur la vieille Grand-Place, il écrit son pamphlet *Napoléon-le-Petit*, dont la lecture ravit les autres exilés qui l'entourent. Il est sans amertume, en paix avec lui-même, persuadé que son exil ne saurait se prolonger et que la France n'endurera pas longtemps une telle honte.

Pourtant, il sent vite que la Belgique ne veut pas de lui et qu'elle se prépare à voter une loi contre les proscrits. Il veut devancer cette mesure et se réfugier ailleurs, mais où ? Il ne reste guère que la Suisse comme pays de langue française, mais la Suisse est loin, et il lui faudrait pour la rejoindre contourner la France par l'Allemagne. L'Angleterre est toute proche, mais il y a l'obstacle de la langue, qu'il ne connaît pas encore. C'est alors qu'il songe aux îles anglo-normandes, où l'on parle français, et dont le climat est réputé pour sa douceur. Le 1er août, à la veille de la publication de *Napoléon-le-Petit*, il quitte Bruxelles à destination de Jersey, où il débarque, après un bref séjour à Londres, le 5 août 1852. Pénétré d'une ferveur qui va bouleverser sa vie et son œuvre, Hugo tourne la page décisive qui va le révéler à lui-même.

Dans le neveu de Napoléon Ier, Monsieur Thiers n'avait vu qu'un « crétin ». Quel dût être son étonnement devant ce président de la République, devenu empereur trois ans plus tard avec l'approbation de 90 % des Français!

6. — LE POÈTE PROMONTOIRE

A Jersey, Victor Hugo est bientôt rejoint par sa famille au complet. Pour loger tout ce monde il loue une grande maison blanche, assez triste : *Marine-Terrace*. Le poète s'installe au premier étage, face à la mer, et se met tout de suite au travail, animé d'une ardente et sombre colère contre l'homme du Coup d'État qu'il fustige sans trêve, en vers, en prose, véritablement possédé par un démon qui l'absorbe au point d'alarmer sa femme, Adèle, ainsi que Juliette, qui est venue se fixer tout près d'eux.

Ses yeux égarés, ses traits vieillis, son négligé vestimentaire et ses distractions, tout le montre « absent », et Hugo dit de lui-même : « Je suis un homme qui pense à autre chose. » Il écrit à un ami : « J'habite dans cet immense rêve de l'océan, je deviens peu à peu un somnambule de la mer et, devant tous ces prodigieux spectacles et toute cette énorme pensée vivante où je m'abîme, je finis par ne plus être qu'une espèce de témoin de Dieu. »

Entraîné par des forces qui le dépassent, Hugo est en proie à « cette énorme pensée vivante » qu'il faut bien appeler l'inspiration, faute de définition qui tienne compte de l'intrusion du rêve dans la réalité, de la force de l'âge, de la solitude d'un homme dont toute la vie civique s'est écroulée d'un coup.

C'est dans cet état de transe qu'il compose tout d'une haleine, en huit mois, le livre le plus fougueux de notre littérature : *Les Châtiments*, volcan qui explose en novembre 1853, océan de mots qui écument, mordent, déchirent : plus de six mille vers, dont la moitié sont un déferlement d'invectives violentes. Étonné, Lamartine dira : « Trois mille vers de haine, c'est trop !... Je ne comprends pas qu'on ait de la haine pendant plus d'un vers. » Malgré cette colère perpétuelle, qu'aucun lecteur ne pouvait partager, *Les Châtiments* passèrent longtemps pour le plus beau livre de Hugo : il ne faut voir dans ce jugement qu'une gratitude politique changée en admiration littéraire. En cessant d'être d'actualité, toute satire politique perd sa chaleur, sinon sa signification. Mais chacun reconnaît, aujourd'hui comme hier, la prodigieuse puissance lyrique que représente un tel livre, écrit sans relâche, presque sans retouche, ce qui permettait à Hugo de dire : « Jusqu'ici, je n'ai fait que flâner. » Aux *Châtiments* s'applique la remarque de R. de Gourmont, qui voyait en Hugo un orateur plus encore qu'un poète. Une tirade comme celle-ci, qui marque dans toutes les mémoires :

> *Allons, faites donner la garde, cria-t-il.*
> *Et lanciers, grenadiers aux guêtres de coutil,*
> *Dragons que Rome eût pris pour des légionnaires,*
> *Cuirassiers, canonniers qui traînaient des tonnerres,*
> *Portant le noir colback ou le casque poli,*
> *Tous, ceux de Friedland et ceux de Rivoli,*
> *Comprenant qu'ils allaient mourir dans cette fête,*
> *Saluèrent leur dieu debout dans la tempête.*

... de tels vers sont faits de bien davantage que de mots assemblés, et Fernand Gregh a raison de souligner que ce sont des forces véritables, des idées-forces qui s'incarnent jusque dans le sacrifice suprême des morts des dernières guerres, et que : « Il y a un peu de Hugo dans la Marne et dans Verdun. »

A partir de 1854, échappant à son obsession, Hugo

prend des habitudes, fait de l'équitation avec ses fils, consacre plusieurs heures par jour à de longues marches « en vareuse, avec de grosses bottes », se baigne et nage beaucoup, se fait beaucoup photographier en prenant des poses devant l'objectif. En même temps, il entreprend *La Fin de Satan* et *Dieu*, grandioses poèmes apocalyptiques où apparaît notamment le nationalisme mystique de Hugo, qui montre la France comme la nation libératrice et généreuse entre toutes. Refusés trois ans plus tard par son éditeur Hetzel, ces très grands livres, trop peu connus, ne furent publiés qu'après la mort du poète. Son labeur incessant — il travaille huit heures par jour — se traduit également par plusieurs milliers de vers qui trouveront place dans des œuvres futures : *Les Contemplations, Les quatre Vents de l'Esprit, Toute la Lyre*, etc.

Parmi les exilés de marque qui se groupent autour du plus illustre d'entre eux figure Mme de Girardin, femme du directeur de *La Presse* et relation très ancienne des Hugo. C'est une femme de beaucoup d'esprit, qui croit aux « esprits » et organise des séances de spiritisme, un peu pour occuper des loisirs forcés, un peu parce que les tables tournantes sont alors dans toute leur nouveauté.

Elle persuade Victor Hugo d'acheter un guéridon à trois pieds et bientôt notre poète interroge lui-même l'au-delà. Ne sourions pas, puisque c'est évidemment avec sa chère morte, Léopoldine, qu'il désire le contact, aussitôt obtenu avec une intense émotion. Alors, au cours de veillées excitantes, des ombres illustres, de Dante à Shakespeare, de Platon à Jésus-Christ, répondent à l'appel de Hugo, qui n'en éprouve nulle surprise. Comment ne pas croire aux révélations des tables, alors qu'elles confirment toutes ses idées politiques et métaphysiques, et qu'elles s'expriment dans son propre style, parfois en des vers qui semblent parodier sa manière, reconnaissable entre toutes ?

Cette auto-suggestion se prolonge pendant une année environ, jusqu'à ce que des soucis imprévus éloignent le grand homme du crépitement mystérieux des guéridons.

En trois ans, malgré quelques incidents, les proscrits avaient eu le temps d'être adoptés par la population de l'île, mais un jour un pamphlet rédigé par un compagnon de Hugo est jugé injurieux pour la reine d'Angleterre. Les habitants se montrent menaçants et les autorités prennent des sanctions : le 27 octobre 1855 le shériff de Jersey se présente à *Marine-Terrace*, signifiant à Hugo ainsi qu'à ses deux fils d'avoir à quitter l'île sous dix jours. Dès le 31 octobre, tout le monde s'embarque pour l'île voisine de Guernesey. A Saint-Pierre, humble capitale de l'île, Hugo se met en quête d'un gîte et trouve dans la partie haute de la ville une grande bâtisse carrée, surmontée d'une sorte de véranda vitrée d'où l'on peut voir, par beau temps, la côte normande : *Hauteville-House,* qui va l'abriter pendant quinze ans.

Le poète est tout de suite attiré par la cage vitrée qui coiffe la maison et d'où, entouré de ciel, il domine les flots, se grisant de l'impression de flotter dans l'infini et de travailler « au milieu des choses éternelles ». C'est ici en effet qu'il compose, tout en marchant, éprouvant à voix haute les syllabes, la cadence et la rime. Il écrit debout, sur un pupitre, jetant souvent au hasard les feuillets dans la pièce et laissant à sa famille le soin de les ramasser et d'y mettre bon ordre.

Comme à Jersey, Hugo se soumet à une discipline de vie : levé de grand matin, il prend une ablution d'eau froide, se fait apporter deux œufs et un café noir, puis sacrifie à un rite d'apparence puérile : il envoie des baisers en direction de la fenêtre de Juliette — sa maison est toute proche — et, pour lui signifier que la nuit fut bonne, il noue une serviette blanche à la balustrade du balcon. Il travaille jusqu'à midi, retrouvant alors à sa table, toujours ouverte, de nombreux convives : des proscrits comme lui, des visiteurs venus du continent, et des femmes, dont il apprécie toujours la compagnie. Après déjeuner, il a coutume de rejoindre Juliette Drouet et de visiter avec elle les beaux sites de l'île. Vers 15 heures il reprend son travail jusqu'au dîner, avec le souci d'être au lit à 22 heures. Ainsi s'ordonnent sagement ses journées ; ainsi a-t-il d'ordinaire la gaîté d'un homme sain et satisfait de son travail, acharné mais réglé.

Le 23 avril 1856 paraissent simultanément, à Paris et à Bruxelles, *Les Contemplations*, dont Hugo dit dans la préface : « La vie, en filtrant goutte à goutte à travers les événements et les souffrances, l'a déposé dans mon cœur » et qu'il présente comme étant un miroir : « Quand je vous parle de moi, je vous parle de vous. » On y trouve de délicates esquisses, notamment lorsqu'il évoque ses enfants :

> *Dans le frais clair-obscur du soir charmant qui tombe,*
> *L'une pareille au cygne et l'autre à la colombe,*
> *Belles, et toutes deux joyeuses, ô douceur !*
> *Voyez, la grande sœur et la petite sœur*
> *Sont assises au seuil du jardin, et sur elles*
> *Un bouquet d'œillets blancs aux longues tiges frêles,*

> *Dans une urne de marbre agité par le vent,*
> *Se penche, et les regarde, immobile et vivant,*
> *Et frissonne dans l'ombre, et semble, au bord du vase,*
> *Un vol de papillons arrêté dans l'extase.*

Dans cette œuvre où vit une âme, apparaît dans sa simplicité magnifique la poésie la plus haute parce que la plus vraie. En dépit de quelques fadeurs qui se rencontrent ici encore dans certaines pièces, ce recueil contient certainement les plus beaux poèmes de Hugo. Le public ne s'y trompe pas et, heureux de n'y plus trouver trace de politique, lui fait un triomphe.

C'est le premier grand succès commercial et les gains considérables qu'il lui rapporte permettent à Hugo d'acheter, un mois après la parution des *Contemplations*, la belle maison de *Hauteville-House* dont il n'était que locataire. Le voici propriétaire et, payant maintenant des impôts à Sa Majesté, il ne courra plus le risque d'être expulsé.

La famille, augmentée d'une sœur de Mme Hugo, s'installe alors définitivement chez elle, meublant et aménageant la vaste demeure avec une optique bourgeoise de « propriétaires », qu'ils deviennent pour la première fois. Cela n'empêchera personne de beaucoup s'ennuyer, excepté évidemment Victor Hugo, tout absorbé par sa tâche

Malgré 19 années d'exil, Hugo aimait Hauteville-House. Il acheta cette grande maison, et la conserva toute sa vie.

« Les lieux de souffrance et d'épreuve finissent par avoir une sorte d'amère douceur, qui, plus tard, les fait regretter. » Ainsi s'exprime Hugo parlant de Jersey, qu'il évoque également par des dessins mélancoliques, comme celui-ci.

immense. Pendant trois ans, Mme Hugo et ses trois enfants : Charles, François-Victor et Adèle, partageront entièrement l'exil du poète ; dure épreuve, car les distractions sont rares dans l'île, où la « société » les tient à l'écart.

Charles se consacre à la photographie et aux aventures sentimentales ; il rédige un témoignage sur « Les Hommes de l'Exil », qui est le seul de ses écrits à présenter quelque intérêt. François-Victor, garçon studieux, calme et scrupuleux, n'hésite pas à entreprendre une traduction fidèle des œuvres de Shakespeare, qu'il publiera de 1859 à 1866 et qui lui vaudra l'estime des lettrés. La mélancolique Adèle, quand elle consent à s'éloigner du maudit piano qui agace tant son père, tient un long « Journal de l'Exil » qui reflète son ennui. Madame Hugo, mêlant ses souvenirs vrais aux évocations romancées de son mari, écrira, souvent sous sa dictée, son livre célèbre : *Victor Hugo raconté par un témoin de sa vie*, publié en 1863.

Au début de l'année 1857, l'éditeur habituel du poète, Hetzel, presse Hugo de lui donner *Les Misérables*, promis depuis longtemps, plutôt que des œuvres ardues comme *Dieu* et *La Fin de Satan* qui n'intéressent guère le public.

Pour le moment, Hugo s'adonne à d'autres « créations » : à partir de beaux meubles anciens, qu'il fait démonter pièce à pièce, il assemble des morceaux avec une fantaisie telle que le résultat est souvent monstrueux. Alexandre Dumas, au cours d'un bref passage à *Hauteville-House*, surprend son ami dans cette insolite occupation, et tous deux ont l'esprit d'en rire.

Les nouvelles de France, toujours passionnément commentées par l'exilé, sont souvent occasion de l'attrister ; la mort d'Alfred de Musset, puis celle de Gérard de Nerval, affectent l'ami qui se souvient. Cette même année 1857, dans le monde des Lettres, Baudelaire publie son chef-d'œuvre : *Les Fleurs du Mal*, et Flaubert le sien : *Madame Bovary*, mais Hugo ne les connaîtra pas. C'est une de ses faiblesses : il ne lit plus depuis bientôt vingt-cinq ans, n'ouvrant un livre que s'il est utile comme document pour son propre travail.

Trouvant décidément la solitude de Guernesey accablante, Mme Hugo prend prétexte, en janvier 1858, de la mauvaise santé d'Adèle pour partir à Paris avec sa fille. C'est leur première « évasion » ; elle sera suivie de beaucoup d'autres, car malgré ce qu'en peut penser ou dire Victor Hugo, rien n'empêchera les deux femmes de multiplier et de prolonger leurs voyages sur le continent. D'ailleurs, autour du poète, chacun secoue une tyrannie inavouée mais qui devient insupportable avec le temps qui passe. Hugo, très strict sur la dépense familiale, a souvent des démêlés d'argent avec ses fils, qui sont à sa charge et ne font rien pour gagner vraiment leur vie. Exaspérés de voir leur père si riche et si généreux avec les autres (le tiers de ses dépenses courantes est consacré à des dons et secours aux proscrits, aux pauvres, aux malheureux), Charles et François-Victor menacent parfois d'abandonner le toit paternel, et Charles ira un jour jusqu'à réclamer sa part d'héritage. A la date du 3 octobre, on peut lire dans le carnet intime du poète cette note douloureuse : « la maison est à toi ; on t'y laissera seul. »

Heureusement, il y a Juliette, toute proche, aimante et dévouée comme au premier jour. Non seulement elle fait partie de la famille, mais il existe entre eux tant de liens, de souvenirs et de ferveurs qu'ils ne forment vraiment qu'un être. C'est Juliette qui console Victor Hugo, c'est elle qui lui donne la force de s'abandonner à sa vocation de visionnaire. Pour lui, l'exil est providentiel ; ici, point de dispersion comme à la cour ou dans les salons ; il peut se consacrer entièrement à son œuvre, ce qu'il fait, Michelet le dit : « avec l'énergie d'une nature sanguine perpétuellement fouettée par le vent de mer. »

*
* *

Alors qu'il entreprend d'écrire *La Pitié suprême*, développement romantique d'une idée déjà exprimée dans un vers des *Contemplations* :

Il n'est qu'un malheureux, c'est le méchant, Seigneur.

Victor Hugo est atteint d'un anthrax, assez grave pour mettre sa vie en danger et l'immobiliser plusieurs mois, couché sur le ventre, le dos envahi d'une immense plaie.

Au printemps de l'année suivante, il s'accorde une halte au milieu de son labeur forcené et passe quinze jours de vraies vacances dans l'île de Serk. C'est là, dans l'euphorie de la santé retrouvée, qu'il commence d'écrire des vers plus riants, plus libres, qui trouveront place dans *Les Chansons des Rues et des Bois*, en 1865. Mais nous sommes en 1859, la guerre d'Italie s'achève sur une victoire et Napoléon III, à la tête d'un empire florissant et glorieux, peut s'offrir ce luxe de pardonner à ses adversaires et de proclamer l'amnistie générale. Celui qui s'était écrié dans *Les Châtiments* : « Et s'il n'en reste qu'un, je serai celui-là. » ne pouvait hésiter sur la décision à prendre. Le 18 août, il rédige une *Déclaration* qui s'achève sur les mots : « Quand la liberté rentrera, je rentrerai. » Nous comprenons mieux aujourd'hui combien cet entêtement, qui parut excessif et spectaculaire à beaucoup, avait de vraie grandeur. Comme pour défier le sort, Hugo publie, aussitôt après son retentissant refus de rentrer en France, la première partie de *La Légende des Siècles*, entreprise titanesque qui se propose de peindre l'épopée humaine et de montrer « l'homme montant des ténèbres à l'idéal ». Comme l'annonce le titre, ce n'est pas l'histoire, ce sont bien des légendes que raconte Victor Hugo. C'est dire que le merveilleux y trouve sa part et que les héros y apparaissent avec des dimensions surnaturelles. Mais tout ici est animé d'une vie formidable et l'on est conquis dès les premières pages du livre par cet art viril, ce grand art qui atteint parfois le sublime, comme dans « La Conscience » :

L'œil était dans la tombe et regardait Caïn.

ou, dans l'admirable « Booz endormi », cette chute :

Cette faucille d'or dans le champ des étoiles.

qui n'en est pas moins belle pour nous être familière depuis l'école primaire.

Depuis *Les Contemplations*, Hugo est dans le moment de sa perfection, de la plénitude de son génie. Avec *La Légende des Siècles*, à l'incomparable pouvoir évocateur, il trouve définitivement sa place parmi les plus grands poètes épiques de la littérature universelle.

Hugo a cinquante-sept ans et encore plus d'un quart de siècle pour étonner le monde.

**

En décembre 1859, alors qu'il s'est remis au manuscrit de *La Fin de Satan*, Victor Hugo s'interrompt pour tenter de sauver un héros de l'anti-esclavagisme américain, le blanc John Brown, qui avait pris la tête d'une révolte de noirs, en Virginie, et venait d'être condamné à mort. Le poète élève une pressante requête auprès des autorités des États-Unis, qui passent outre. Brown est pendu le 16 décembre. Alors, pour frapper l'opinion, Hugo fait graver un de ses propres dessins, « Le Pendu », avec comme seule légende une date : 2 décembre, qui est celle du jugement condamnant Brown mais qui est comprise comme une allusion au coup d'État de Napoléon III et entraîne l'interdiction de cette gravure en France.

Dans sa solitude de Guernesey, Hugo est aux écoutes du monde. C'est le temps des guerres d'indépendance et des premières grandes campagnes coloniales : Tonkin, Mexique, Cuba. Sur l'expédition en Chine, Victor Hugo

Les illustrations
des éditions po-
pulaires de
« Misérables »
sont faites pour
émouvoir. Celle-
ci montre Co-
sette, en hail-
lons, pieds nus,
qui nettoie le
seuil des Thé-
nardier, ma-
niant un balai
plus haut qu'elle.

« *Gavroche se relève* » *composition de L. Flameng. Le personnage de ce gamin de Paris, symbole de liberté généreuse, compte parmi les figures inoubliables des* « *Misérables* ».

ne craint pas de dire des Européens qu'ils se conduisent comme des bandits. Sur le Mexique, il écrit à Juarez que ce n'est pas la France qui fait cette guerre, mais l'Empire. Il écrit en Amérique, au président Lincoln ; en Italie, à Garibaldi ; en Angleterre, en Pologne et jusqu'en Russie...

On voit que la révolte sentimentale d'autrefois fait place, chez l'illustre exilé, à des prises de position qui le conduisent à intervenir partout dans le monde, et toujours au nom de la clémence, de la justice. Son républicanisme tourne de plus en plus au socialisme, à l'internationalisme. Son orgueil naïf lui permet de revendiquer le rôle de conducteur des peuples, de leur annoncer les vérités et les espoirs. Grandi par l'exil, déifié par la passion politique, ce champion des libertés prend alors le visage qu'il gardera pour la postérité : sous prétexte d'éviter des maux de gorge, il se laisse pousser une barbe de prophète.

Aux premiers jours du printemps 1861 se place un important voyage de Victor Hugo en Belgique, son premier contact avec le continent depuis près de dix ans. Important, surtout parce qu'il le conduit à Mont-Saint-Jean, à deux pas du champ de bataille de Waterloo. Hugo s'installe sur place, à l'auberge du lieu, et commence une minutieuse confrontation qui va lui permettre d'achever *Les Misérables* sur une fresque grandiose. En compagnie de Juliette, qui lui sert comme toujours de secrétaire, il parcourt les villages, visite les fermes, interroge les derniers témoins de la gigantesque mêlée, accumulant les détails précis qui donneront à son récit ce caractère visuel, intensément dramatique, qui atteint à la perfection avec cette charge des cavaliers de Ney dont le galop s'écroule dans le ravin d'Ohain. Quel lecteur ne continue d'entendre ces chutes tragiques, longtemps après avoir refermé le livre ?

De retour à Guernesey en septembre, Hugo apprend avec peine que son fils Charles ne l'y rejoindra pas : il a décidé de ne plus se prêter à la comédie de l'exil.

Le 4 octobre, le poète fait faux bond à Hetzel, son éditeur habituel, et signe avec l'éditeur Lacroix un contrat vraiment royal : trois cent mille francs pour *Les Misérables*, ce qui représente plus d'un million de francs lourds actuels. La fortune de Victor Hugo prend des dimensions colossales, mais cet homme riche n'est pas pour autant un homme heureux : la neurasthénie de sa fille Adèle côtoie maintenant la folie. Son cerveau dérangé lui a fait imaginer qu'un jeune Anglais, le lieutenant Pinson, veut l'épouser. Mais cet homme est déjà marié et proteste n'avoir aucune vue sur une jeune fille « mûre » de trente-et-un ans, dont la bizarrerie n'est que trop visible. Ce rêve déçu aggravera l'état mental de la pauvre fille, qui poursuivra son illusoire fiancé... jusqu'au Canada. Comme son oncle Eugène Hugo, Adèle mourra folle.

**

A partir d'avril 1862 paraissent à Paris les premiers des dix volumes des *Misérables*. Succès prodigieux : le livre s'arrache littéralement, au point que la foule, qui a envahi la rue de Seine, prend d'assaut la librairie, où 50 000 volumes sont vendus en quelques semaines. L'admiration populaire éclate, mais sans convaincre nombre de critiques plus sévères, notamment Taine, ou Barbey d'Aurevilly, lequel écrit cruellement : « Les masses ne se soucient du talent que quand il est vulgaire comme elles. » Rejoignant Sainte-Beuve, qui écrit de son côté, à propos des *Misérables* : « Le goût du public est décidément bien malade. »

Cent ans plus tard, le livre nous étonne encore par ses dimensions et sa résonance. On ne l'admire plus autant, certes, mais on respecte dans cet ouvrage énorme la filiation des *Mystères de Paris* et de *La Comédie Humaine*, et tout ce qui, jusqu'aux romans-fleuves contemporains, en est issu, depuis *Guerre et Paix* de Tolstoï et les *Rougon-Macquart* de Zola, pour ne citer que les « parentés » les plus proches...

Pour Hugo, c'est sa meilleure œuvre en prose ; c'est aussi sa pensée la plus constante qu'il réalise : depuis sa vingtième année cette idée le poursuivait. On sait par exemple qu'en 1823, il réunissait déjà des documents sur le bagne de Toulon ; qu'en 1828, il avait pris des notes sur cet évêque de Digne, Mgr de Miollis, chez qui trouva refuge un Pierre Maurin condamné à cinq ans de galère pour avoir volé un pain, personnages réels qui deviendront Mgr Myriel, et Jean Valjean.

Dès 1845, il donne à l'ensemble des notes rassemblées ce titre déjà éloquent : *Les Misères*, qui peut surprendre chez un bourgeois « arrivé », académicien, pair de France, ami du Roi. C'est qu'en dépit des étiquettes qu'il adopte successivement : ultra, bonapartiste, orléaniste, républicain, Hugo n'a jamais été éloigné des humbles par le cœur.

A Guernesey, dans l'isolement et l'amertume de l'exil, les *Misères* deviennent *Les Misérables* ; le roman prend alors les dimensions d'une épopée où s'animent d'inoubliables figures, plus vivantes que bien des mortels : Jean Valjean, Javert, Fantine, Cosette, les Thénardier, Marius, Gavroche enfin ! « Forêt d'actes, de pensées et de sentiments », *Les Misérables* sont un monde, une des sommes du XIXe siècle.

Des bords du Rhin, Hugo ramenait de fortes pages, parmi les plus belles, et d'extraordinaires dessins violents et sombres, où des burgs sinistres se découpent sur un ciel d'orage.

7. — L'HOMME DRAPEAU

Après le triomphe des *Misérables*, Victor Hugo s'octroie un congé mérité. Le voici de nouveau en Belgique, d'où il pousse, par les Ardennes et le Luxembourg, jusqu'à Cologne, dont la merveilleuse cathédrale le fascine. La vallée du Rhin, ses paysages, son atmosphère, ont d'ailleurs de si grands attraits pour Hugo qu'il prendra l'habitude, chaque année jusqu'en 1865, d'y passer deux ou trois mois de l'été. C'est pendant le voyage d'août 1862 qu'il découvre en Luxembourg le charmant village médiéval de Vianden, où il séjournera plusieurs fois par la suite.

Sur le chemin du retour, Hugo s'arrête à Bruxelles, où il est fêté par les républicains belges et français. Au cours d'un grand banquet politico-littéraire, Théodore de Banville apporte au « Père » de la poésie le salut admiratif de la jeune poésie.

L'automne revoit Victor Hugo à Guernesey ; il s'est remis au travail, amassant des notes pour un roman, qui sera *Quatre-vingt-treize*, et un essai sur *William Shakespeare* qui doit servir de préface aux traductions de son fils François-Victor. Au vrai, sous prétexte de glorifier Shakespeare, Hugo dresse ici sa propre statue. Dans ce livre qui passe inaperçu, le poète nous dit ce qu'il pense de lui-même et, surtout, il a l'habileté de démontrer que tout ce qui lui est reproché : vulgarité, démesure, manque de goût, se trouve aussi chez Shakespeare, et que « c'est cela, le génie ».

Hugo a soixante ans. Au sommet de sa trajectoire comme au sommet de sa vie, il éprouve le besoin d'en faire le compte ou, plus exactement, il charge sa femme d'en faire le récit : *Victor Hugo raconté par un témoin de sa vie*, qui paraît en juin 1863, peu après la publication d'un recueil de dessins qui révèlent à tous l'œuvre graphique de Hugo, si remarquable qu'elle eût suffi à lui valoir la célébrité.

L'année 1863 voit encore le coup de tête de la pauvre Adèle, qui s'enfuit de l'île, où elle s'étiole, pour rejoindre le faux fiancé dont elle se croit aimée.

Hors du cadre familial, Hugo apprend la mort d'Alfred

de Vigny, en qui il avait retrouvé un ami depuis le drame de Villequier. En politique lui parviennent les échos d'événements gros de conséquences : les républicains ont progressé aux dernières élections françaises ; en Amérique, les Nordistes ont remporté une grande victoire à Gettysburg...

C'est en juin 1864 que Hugo commence la rédaction des *Travailleurs de la Mer*. Dans ce gros livre, nourri de l'expérience acquise par l'auteur durant son exil « marin », l'aspect documentaire très réaliste a plus de vérité et d'intérêt que l'intrigue romanesque, qui oppose aux puissances naturelles, à la « Fatalité » symbolisée par une pieuvre géante, la vivante protestation du héros Giliatt, incarnation du peuple, grand par la force et par le cœur. Lorsqu'en 1866 ce roman médiocre paraît simultanément en librairie et en feuilleton quotidien, rares sont les lecteurs qui décèlent le déclin du grand écrivain. Le public admire de confiance tout ce qui est signé Hugo, bon ou mauvais.

François-Victor s'était fiancé avec une jeune fille de l'île, Emily de Putron, qui meurt « de la poitrine » en janvier 1865, peu de temps avant le mariage projeté. Désespéré, le cadet des Hugo cherche une diversion en partant pour la Belgique, et sa mère, trouvant là l'occasion de s'évader définitivement, s'empresse de l'accompagner, bien résolue de se fixer à Bruxelles où vit déjà son autre fils, Charles.

Victor Hugo reste-t-il seul à Hauteville-House ? Non, car la sœur de Mme Hugo, une petite personne effacée, s'y dévoue déjà comme « gouvernante », et Juliette ne tarde pas à l'y rejoindre avec l'assentiment de l'épouse, qui la remercie même de « prendre le relais ». Les deux femmes du grand homme n'ont pas à feindre une rivalité inexistante. Vieillies l'une comme l'autre, elles n'ont à partager que la tendresse platonique de leur cher Victor qui, non seulement ne se sent pas vieux, mais dit à ses intimes, avec son exagération coutumière : « Je sais que je suis immortel. »

L'automne l'ayant ramené en Belgique, Victor Hugo assiste en octobre, à Bruxelles, au mariage de son fils Charles avec une jeune Belge, Mlle Alice Le Haene.

Peu après, une tempête d'invectives accueille à Paris la publication de poèmes « rustiques et voluptueux » : *Les Chansons des Rues et des Bois*, où transparaissent les galanteries d'un faune aux cheveux blancs. On accuse Hugo de « conduire sa muse chez les blanchisseuses » et de prêcher le libertinage. Il n'empêche que le recueil contient beau-

coup d'adorables vers, qui font songer au meilleur Ver-
laine :

> *... Le paysage est plein d'amantes,*
> *Et du vieux sourire effacé*
> *De toutes les femmes charmantes*
> *Et cruelles du temps passé.*

Malgré la critique, qui n'exerce aucune influence sur
l'opinion publique, le succès des *Chansons* est très grand.
Les Travailleurs de la Mer avaient déjà fourni l'occasion de
constater l'accueil confiant rencontré par toute production
du poète. Le phénomène dépasse d'ailleurs largement les
frontières de notre pays : l'opinion internationale, même
lorsqu'elle ne peut apprécier l'œuvre de l'écrivain, admire et
respecte le Proscrit, devenu « l'Homme-drapeau » de tous
ceux qu'anime la passion de la liberté et de la justice.

L'année 1866 voit s'achever aux États-Unis la guerre de
Sécession par la victoire des Nordistes, l'assassinat de
Lincoln et l'abolition de l'esclavage. Sous la pression des
Américains, la France doit retirer progressivement ses
troupes du Mexique, où l'infortuné Maximilien, abandonné
à lui-même, sera pris et fusillé en juin 1867.

Dans le même temps, le fondateur de l'unité allemande,
le Prussien Bismarck, écrasait les Autrichiens à Sadowa,

le 3 juillet 1866, et cette retentissante victoire jetait le trouble dans toutes les chancelleries d'Europe, ouvrant pour la France l'ère des inquiétudes.

Chaque été, Victor Hugo va rejoindre les siens à Bruxelles, dans le petit appartement loué par sa femme. C'est là qu'il commence les premières pages de *L'Homme qui rit*, en 1866. C'est là qu'il assiste, en juillet 1867, au baptême du premier enfant de Charles, le petit Georges, qui ne vivra que quelques mois, comme jadis le petit Léopold.

Il passe ensuite en Hollande les mois d'août et de septembre, partout fêté avec un enthousiasme, une affection qui l'émeuvent. C'est au point qu'il lui est permis, dans la petite ville de Dordrecht, de prendre la parole du haut de la chaire d'un temple protestant, mêlant les citations des *Misérables* à celles de la Bible !

La mort de Charles Baudelaire, le 31 août 1867, prive la poésie de sa voix la plus douloureuse, la plus déchirante. Baudelaire éprouvait de l'admiration pour le « métier » de son aîné Hugo, mais il inclinait à penser que le grand homme était en même temps « un sot ». Peut-être, si une œuvre n'a de valeur que dans la mesure de son succès, Baudelaire souffrait-il de ce que *Les Fleurs du Mal* ne pesaient pas lourd auprès des *Chansons des Rues et des Bois ?* Le temps a fait depuis justice, au moins sur ce point.

En octobre 1867, Hugo est de retour dans l'île, d'où il lance dans un journal qu'il a fondé, « La Voix de Guernesey », d'imprudentes attaques contre Napoléon III. En riposte, les autorités impériales ne peuvent faire moins que d'interdire à Paris la reprise de *Ruy Blas*, alors qu'en juin de la même année *Hernani* avait pu se faire applaudir à la Comédie-Française.

Soudain, la mort creuse des vides affreux autour de Victor Hugo : une méningite emporte d'abord son petit-fils Georges, en avril 1868, et le 25 août suivant Adèle Hugo est frappée d'une hémiplégie qui la terrasse en 48 heures. Celle qui avait été « La Fiancée » s'éteint le 27 août 1868 entre les bras de son mari, demeuré à Bruxelles depuis la naissance du deuxième enfant de Charles, le second Georges.

En perdant Adèle, qu'il ne peut accompagner jusqu'à sa dernière demeure auprès de Léopoldine, à Villequier, le vieil homme sait qu'une part de lui-même meurt aussi. Sur une photographie de sa femme il a écrit ces mots douloureux : « Chère morte pardonnée »

L'année suivante, lors du lancement à Paris d'un journal d'opposition : « Le Rappel », auquel collaborent ses deux fils, Victor Hugo publie en mai 1869 *L'Homme qui Rit*, œuvre dédiée à l'Angleterre du xviiie siècle et dont la forme abrupte, l'écriture saccadée, où abonde l'antithèse, rendent sensible à beaucoup une baisse de qualité déjà perceptible dans *Les Travailleurs de la Mer.*

Après un bref séjour à Bruxelles, le poète part en septembre pour la Suisse. Il a accepté de présider un Congrès de la Paix, qui tient ses assises à Lausanne. Devant un auditoire international unissant républicains et socialistes aux théoriciens marxistes qui voient en lui un allié, Hugo prononce un discours exalté d'où se détache la phrase fameuse, si diversement comprise : « Je salue la révolution future ! »

Quelle évolution depuis le sacre de Charles X! Ou même, sans remonter si loin, depuis cette période de 1856 où, se croyant à ce point détaché de la terre, Hugo avait pu écrire à un ami : « qu'il lui semblait déjà vivre de la grande et sublime vie intérieure »...

Peu après la naissance de Jeanne Hugo, le 28 septembre 1869, le poète rejoint Bruxelles pour embrasser la chère petite-fille qui enchantera sa vieillesse. Le 5 novembre, il est de retour à Guernesey où, reprenant la plume avec une ardeur inaltérée, il écrit de nombreux poèmes qui trouveront place dans `Toute la Lyre* et *Les Années funestes.*

1870 : « l'année terrible » débute bien pour Hugo, dont la pièce *Lucrèce Borgia* est rejouée à Paris avec un certain

Gustave Doré illustra de 300 magnifiques dessins l'édition de 1866 des « Travailleurs de la Mer ». Hugo l'en remercia en connaisseur : « Votre pieuvre est épouvantable et votre Gilliat est grand... Je serai pour vous l'occasion d'un monument de plus. »

Victor Hugo ayant refusé l'amnistie, la famille du poète se lasse de partager son exil depuis déjà 8 ans. Cette photo qui réunit les fils auprès du père ne sera bientôt plus possible : les uns après les autres, tous les siens partiront sur le continent...

succès. Pour Napoléon III, rien ne présage encore un désastre imminent : les réformes libérales qu'il soumet à l'approbation du pays sont plébiscitées en mai à une écrasante majorité.

Rassuré pour lui-même, l'Empereur déclare : « Nous pouvons maintenant envisager l'avenir sans crainte », et Gambetta ne peut que reconnaître : « l'Empire est plus fort que jamais »...

Personne ne pouvait prévoir que la candidature d'un prince allemand au trône d'Espagne suffirait à envenimer les relations franco-allemandes. Maladresses et manœuvres tortueuses se conjuguent pour créer en quelques semaines les conditions d'un conflit : le 19 juillet, la France déclare la guerre à la Prusse. Or la France n'est pas prête militairement et, dès les premières vraies batailles, début août, nos défaites font apparaître de tragiques faiblesses.

Quittant Guernesey, où il vient de planter dans son jardin un arbre qui s'y voit encore, le « Chêne des États-Unis d'Europe », Victor Hugo se rend à Bruxelles le 15 août. C'est là qu'il apprend l'étendue des revers français, qui le placent dans une cruelle alternative : ainsi qu'il le dit dans un poème, il souhaite Austerlitz à la France et Waterloo à l'Empire.

Hélas ! c'est un Waterloo qui survient, le 1er septembre,

avec le désastre de Sedan, qui voit la capitulation d'une armée de 100 000 hommes et Napoléon III prisonnier de l'empereur Guillaume 1er. Cet effondrement militaire donne le coup de grâce au régime impérial. Dès le 3 septembre, les républicains réclament la déchéance. Le lendemain, dimanche 4 septembre, la foule parisienne envahit le Palais-Bourbon et, à l'Hôtel-de-Ville, Gambetta proclame la République.

Aussitôt que la nouvelle lui parvient, Victor Hugo se persuade que tout peut encore être sauvé et que la patrie blessée l'appelle au secours... Le 5 septembre, bouclant sa valise, il bondit dans le train de Paris. Il est pâle, nerveux : « Voilà 19 ans que j'attends ce moment ! » A la frontière, il est en larmes. Son arrivée Gare du Nord, à la nuit tombante, est triomphale : la foule parisienne l'attend et l'acclame frénétiquement, alternant les cris de « Vive Hugo » et de « Vive la France » avec le chant de *La Marseillaise*. A cette foule dont l'accueil le bouleverse, le vieil homme parle d'abondance, de sa calèche, puis du haut d'un balcon, répétant : « Levons-nous ! tous au feu ! » Grisé par sa popularité, le glorieux revenant croit alors que les républicains vont le prendre pour chef, lui offrir les pleins pouvoirs. Quelle déconvenue l'attend ! Un gouvernement provisoire est déjà constitué, et personne ne songe à lui ; on l'écarte au contraire de toute fonction, comme un gêneur. On le laisse parler, rien de plus. Voilà ce qui l'attendait, après un tel exil ! Son amertume, sa peine sont immenses, mais il a la fierté de n'en rien laisser paraître. Il cherchera à se rendre utile, malgré tout. C'est ainsi qu'il lance trois proclamations successives : aux Allemands, aux Français, enfin aux Parisiens alors que le siège commence. Aux Allemands, il demande d'arrêter la guerre, puisqu'ils avaient prétendu la faire au seul Napoléon III et que celui-ci est à bas. Aux Français et plus particulièrement aux Parisiens, il prêche la résistance à outrance.

Pendant le siège, inquiet seulement pour ses petits-enfants encore bébés, Hugo montre une parfaite bonne humeur et songe, à s'engager, malgré son âge. On peut le voir, en civil, monter la garde, un képi sur la tête, mais personne n'en rit car aux yeux de tous il est cet illustre vieillard *qui avait vu clair*. Dans le même temps où il distribue des sommes considérables aux pauvres, il note dans son carnet : « Hier, j'ai mangé du rat. » *Les Châtiments*, qui vengent la France, sont édités au complet, pour la première fois, et s'arrachent dans les librairies. Hugo abandonne ses droits d'auteur en faveur des souscriptions ouvertes pour la fonte de canons, dont l'un sera appelé le « Victor-Hugo ».

Le 28 janvier 1871, après d'atroces privations et des

révoltes populaires, Paris capitule enfin, ne pouvant plus espérer d'être délivré. Des élections générales ont lieu le 8 février et c'est alors que Victor Hugo est élu député de Paris. Il vient en second sur la liste, aussitôt après Louis Blanc, et avant Edgar Quinet.

L'Assemblée Nationale se réunit à Bordeaux. Hugo s'y rend, toujours accompagné des siens. Il n'a aucune illusion sur ce qui l'attend : républicain depuis le coup d'État de 1851, Hugo appartient à une minorité d'à peine 50 représentants, contre 700 députés monarchistes. La Province, qui ne songe qu'à obtenir la paix au plus vite, a voté « à droite », contre Paris.

A Bordeaux, le député Hugo ne monte à la tribune que trois fois, chaque fois sous les huées. A sa troisième intervention, ayant défendu Garibaldi dont la majorité ne voulait pas, Hugo trouve l'occasion d'une démission éclatante. Cela se passe le 8 mars. Quelques jours plus tard, le 13 mars, coup de tonnerre : Charles Hugo meurt subitement.

Accablé de douleur, hébété, le père rentre à Paris avec le cercueil de son fils et, le 18 mars, il le mène au Père-Lachaise. La Commune vient d'éclater le matin même : le cortège traverse la ville en armes. A la Bastille, rue de la Roquette, les ouvriers parisiens font une haie d'honneur au char funèbre que suit l'illustre proscrit aux cheveux blancs. Les gardes nationaux, d'instinct, présentent les armes, cependant que tambours et drapeaux saluent cette gloire désespérée.

Chassé de Belgique en 1871, Hugo trouva refuge au Luxembourg, dans la charmante localité de Vianden. Son dessin représente la maison qu'il habita au coin du pont, d'où la vue, nous dit-il, « était superbe sur la rivière et les ruines du château ».

8. — UN DEMI-DIEU FABULEUX

Appelé à Bruxelles pour régler la succession de son fils, Victor Hugo s'y attarde volontairement pour rester éloigné des Versaillais en même temps que de la Commune, à laquelle il a refusé d'adhérer et qu'il juge « idiote », bien qu'il sache ce qu'elle représente : plus encore que des socialistes révoltés comme il l'est lui-même, les communards sont des victimes qui souffrent de l'aveuglement des riches.

Il se félicite d'être en dehors de luttes fratricides, mais il est déchiré, il souffre de son impuissance, sans audience ni d'un côté ni de l'autre. Lorsque les communards, écrasés par Thiers et les amis de l'ordre, laissent 30 000 des leurs rougir de leur sang les pavés de Paris, Victor Hugo ressent de toute son âme leur sacrifice et leur calvaire. Apprenant le 25 mai — les Versaillais sont dans Paris depuis le 21 — que la Belgique refuse d'accepter les réfugiés politiques fuyant une répression aveugle, Hugo écrit aussitôt un article pour dire qu'il offre aux vaincus l'asile de son domicile.

Générosité absurde, qui gâche d'un seul coup sa popularité. La nuit venue, une foule fanatisée assaille la maison du poète, criant des injures et jetant des pierres dans ses fenêtres. Trois jours plus tard, le gouvernement belge ordonne son expulsion.

De nouveau proscrit, Hugo doit trouver où se réfugier. Pas question de rentrer en France, où la bourgeoisie qui triomphe, après avoir tremblé, lui ferait payer cher d'avoir pris le parti des fusillés contre les fusilleurs. C'est alors qu'il se souvient de Vianden, cette jolie bourgade du duché de Luxembourg qui l'avait séduit en 1862. Le 8 juin, il s'y retire avec sa famille, pour un bref séjour au cours duquel il fera la rencontre d'une jeune beauté de dix-huit ans, Marie Garreau, veuve d'un communard fusillé. Cette amie au cœur simple lui raconte la Commune telle qu'elle l'a vécue, et ses récits naïfs fourniront d'épisodes héroïques ou horribles les poèmes de *L'Année Terrible* auxquels il travaille jusqu'à fin septembre, et dont toute la première partie, consacrée à la guerre civile, dit la pitié du poète pour la France meurtrie.

Le 1er octobre, Hugo regagne Paris en ruines et s'installe rue de La Rochefoucauld avec ses deux petits-enfants, Georges et Jeanne, dont le père est mort. Sans prendre garde à la réprobation qui l'entoure, il se lance dans l'action politique, fait reparaître son journal, « Le Rappel », demande à Thiers et obtient la grâce du journaliste Rochefort, qu'il sauve de la déportation, et, en janvier 1872, il se présente à une élection partielle où il est battu largement, les commerçants et petits possédants du quartier s'écartant d'un ami des communards.

Un triste jour de février, une négresse de la Barbade lui ramène une pauvre insensée en laquelle Victor Hugo a peine à reconnaître sa fille Adèle, qu'il se résigne à faire interner à Saint-Mandé, le désespoir au cœur. Peu après la publication de *L'Année Terrible*, qui contient encore quelques pièces admirables, le poète, excédé des hommes politiques qui encombrent sa maison, lassé d'une agitation qui lui paraît vaine, décide de retourner dans son île pour y retrouver la solitude et la mer.

C'est à Guernesey, où il ne reçoit à peu près personne, confiné en la seule compagnie des siens, de Juliette et d'un vieil ami bossu qu'il a recueilli par compassion, que

Victor Hugo entreprend d'écrire le roman-testament de sa vie : *Quatre-vingt-treize*, écho des récits de son père et de Sophie la « Vendéenne », histoire émouvante et sage qui sera la dernière manifestation de la force de son génie. Il travaille énergiquement pendant tout l'hiver, et achève ce roman durant l'été de 1875.

Pour préparer l'édition de ce livre, Hugo rentre alors à Paris, où il peut serrer dans ses bras son fils François-Victor qui s'éteint doucement, miné par une maladie de langueur. Les médecins ne peuvent plus rien pour le sauver : François-Victor meurt le 26 décembre, âgé seulement de 45 ans. De ses cinq enfants, il ne reste au vieil homme qu'une fille, folle pour toujours. Acceptant, sans plier, les coups du destin, le poète s'interdit de pleurer et, reprenant peut-être goût à la politique, il se penche encore sur les malheurs des autres et les problèmes du pays. Celui-ci est menacé d'une restauration monarchique par Mac-Mahon, nouveau président de la République, qui trouve Hugo au premier rang de ses adversaires. Mais, moins combatif que jadis, le poète renonce à un siège de député et refuse même de présider un autre Congrès de la Paix.

L'année qui s'écoule a vu la mort de Théophile Gautier, compagnon des luttes des jeunes années, et l'apparition fulgurante de *Une Saison en Enfer*, d'Arthur Rimbaud.

Au mois de février 1874 paraît en librairie *Quatre-vingt-treize*. Tout ce qui sera publié ensuite, provient de manuscrits anciens, ou ne présente qu'un intérêt diminué. Hugo a 72 ans et, ainsi que le note fort bien Henri Guillemin : « sa technique est assez sûre pour lui permettre d'heureux plagiats de lui-même » mais, « si le vocabulaire est toujours là, le cœur n'y est plus. »

Durant la même année paraît l'ouvrage que le père en deuil consacre à la mémoire de *Mes Fils*, cependant qu'il écrit *Les Quatre Vents de l'Esprit* ainsi que des vers qui trouveront place dans *Toute la Lyre*. En 1875, après un court séjour à Guernesey, Hugo entreprend la publication de *Actes et Paroles*, dont les trois volumes de souvenirs : *Avant*, *Pendant* et *Depuis l'Exil*, s'échelonneront jusqu'en 1876.

Immensément riche — les incessantes réimpressions de ses œuvres si nombreuses lui rapportent des flots d'or — Hugo se fige peu à peu dans une apothéose bourgeoise. Il demeure maintenant avenue de Clichy, en compagnie de Juliette, comme toujours, mais aussi avec sa bru remariée et devenue Mme Edouard Lockroy. Il n'a guère de liberté, mais trouve sa joie dans la présence de ses deux petits-enfants, qu'il adore et qu'il immortalisera dans *L'Art d'être grand-père*, publié en 1877.

Pour qui doute parfois de la sincérité du poète, qui

force souvent la note dans l'expression des sentiments, il faut convenir cependant qu'il adore les enfants, source inépuisable de fraîcheur et de vérité. Il sait admirablement rendre leur naïveté, leur tapage joyeux, et s'il lui arrive de tomber lui-même dans la puérilité, nous devons le croire quand il assure qu'il n'est pas de douleur que la présence d'un enfant n'ait apaisée :

Ils font rouvrir en nous toutes nos fleurs fanées...

En janvier 1876, Victor Hugo est élu sénateur de Paris, et dès sa première intervention au Sénat, en mai, il commence une ardente campagne en faveur de l'amnistie des communards. Il se dresse encore contre Mac-Mahon, qui veut dissoudre la Chambre, et pour répondre aux menaces d'un coup d'État il publie, en 1877, un ouvrage écrit en 1852 : *Histoire d'un Crime*, qui fait apparaître à tous les yeux la similitude du danger.

Chaque année paraissent de nouvelles œuvres : la seconde série de *La Légende des Siècles*, en 1877 ; *Le Pape*, en 1878 ; *La Pitié suprême*, en 1879 ; *Religions et Religion* et *L'Ane*, en 1880. Mais il faut s'arrêter à 1878, non parce qu'elle fournit au grand visionnaire l'occasion d'un discours remarquable sur Voltaire, pour le centenaire de sa mort, mais parce qu'elle est marquée par un événement funeste :

*Juliette Drouet,
à la fin de sa vie.* ▶

Au soir de sa vie, le plus beau titre pour l'illustre vieillard, c'est celui de « Papapa », que lui donnent ses petits-enfants qu'il adore.

dans la nuit du 27 au 28 juin, Hugo est frappé d'une congestion cérébrale. Attaque bénigne, mais qui est un avertissement : le vieil homme, qui ne s'intéresse plus à grand'chose, comprend qu'il lui faudra mourir, mourir bientôt. « Il faudrait plusieurs existences », avait-il dit un jour...

On l'emmène se reposer à Guernesey, contre son gré. Il est abattu, sombre, silencieux. Sait-il qu'il ne retrouvera jamais cette vigueur dont il était si fier, et qu'il n'écrira pratiquement plus rien, sinon des notes sur son carnet ?

Après quatre mois de morne isolement, où son entourage l'a souvent vu, immobile et songeur, passer de longues heures le front appuyé contre la vitre, Hugo, devenu brusquement un vieillard, regagne Paris, où il s'installe le 10 novembre 1878 dans la belle et vaste demeure de l'avenue d'Eylau, qui sera son dernier domicile. C'est là qu'il mènera dorénavant une vie confortable de grand bourgeois accueillant, amical à tous, visité de curieux, de disciples et de personnalités du monde entier, dont cet aimable Pedro II, empereur du Brésil, qui, à la formule « Votre Majesté » répondait : « Il n'y a ici qu'une Majesté, Monsieur Hugo : la vôtre ! »

La participation de Victor Hugo à la vie publique est maintenant réduite, mais en tant que sénateur il continue d'élever la voix en faveur des communards et de l'amnistie, qu'il ne cesse de réclamer.

A la fin de l'été de 1879, au cours d'un voyage au bord de la Manche, le vieil homme va se recueillir à Ville-quier, où reposent la tendre « Didine » et Adèle qui fut tant aimée. Longtemps, il reste penché sur ce coin de terre qui l'attend...

Le 27 février 1881, Victor Hugo entre dans sa 80e année. Celui que Théodore de Banville désigne comme « ce génie entré vivant dans l'immortalité », est alors l'objet d'une manifestation touchante : la foule parisienne défile, déferle sous ses fenêtres, jonchant de fleurs les abords de sa maison, roulant jusqu'à la fin du jour ses flots sonores d'où jaillis-sent des vivats, des chants patriotiques, des élans affec-tueux où le grand homme sent battre le cœur de Paris. Quelques jours plus tard, c'est le Sénat, debout, qui l'ac-cueille par une triple salve d'applaudissements et s'associe à l'hommage que la nation tout entière rend au plus illustre de ses fils.

Juliette Drouet est une vieille dame de 75 ans, dont le délicat visage fané conserve le reflet d'une grande beauté. Cloîtrée maintenant dans son petit appartement du premier étage, chez Hugo, elle doit tout son bonheur à la présence constante de l'homme qui est son dieu. Bien qu'ils ne se quittent guère, ils ont gardé l'habitude ancienne de s'écrire à tout propos, ce qui nous vaut une des plus émouvantes correspondances amoureuses que l'on connaisse. Le 1er janvier 1883, Juliette fait parvenir ses vœux de bonne année au compagnon de sa vie : « Cher adoré, je ne sais où je serai l'année prochaine à pareille époque, mais je suis heureuse et fière de te signer mon certificat de vie pour celle-ci par ces seuls mots : *Je t'aime.* »

Heureuse, et fière ! Cinq mois plus tard, le 11 mai 1883, Juliette meurt, « laissant le souvenir d'une créature adorable, parfaitement digne de son extraordinaire destinée ». Victor Hugo s'efforce de rester stoïque. Avec Juliette disparaît la joie de vivre, la confidente, l'admirable compagne des bons et des mauvais jours. Les derniers mots prêtés à *Quasimodo* lui montent aux lèvres : « Oh ! tout ce que j'ai aimé ! » Il ne pleure pas, mais il est effondré, au point de ne pouvoir assister aux obsèques. « Les morts ne sont pas absents, mais seulement invisibles », dit-il. Mais il reste prostré, le regard fixe. A dater de ce jour, « tout lui est égal » : le vieux grand homme ne fait plus que se survivre.

Comme à part lui, ses manuscrits anciens continuent d'être publiés. Les éditions se succèdent : *Les quatre vents de l'Esprit,* dernier recueil publié du vivant de Victor Hugo, en 1881 ; *Torquemada,* en 1882 ; la troisième série de *La Légende des Siècles,* en 1883, ainsi qu'un écrit, *Elciis,* où l'on trouve ce cri, répondant à Nietzsche : « Non ! non ! Dieu n'est pas mort ! » Pour libre-penseur qu'il se dise, pour anticlérical qu'il soit devenu au soir de sa vie, Victor Hugo est en effet resté « croyant » jusqu'au dernier jour, et lorsqu'il rédige son testament, le 2 août 1883, on y trouve ces mots significatifs : « Je refuse l'oraison de toutes les églises ; je demande une prière à toutes les âmes. — *Je crois en Dieu.* »

Le 12 août de la même année, Hugo est en villégiature au bord du lac Léman, à Villeneuve. La foule vient l'acclamer et le réclame au balcon de l'hôtel. Le patriarche chancelant apparaît un instant, maigre, tout ridé, sourd, très vieux maintenant. Il fera encore un voyage en Suisse, son dernier voyage, durant l'été 1884. Sur son carnet, il trace encore d'une écriture confuse des vers, des débuts de poèmes qui n'auront jamais de suite, des phrases en suspens : « J'aurai bientôt fini d'encombrer l'horizon. »

Le 15 mai 1885, Victor Hugo, qui souffrait d'une lésion au cœur, est atteint de la congestion pulmonaire des vieillards. Condamné, il s'éteint le 22 mai, « dans la saison des roses », ainsi qu'il l'avait prédit à ses petits-enfants, et le jour de la Sainte-Julie, jour qu'il avait, pendant cinquante ans, fidèlement fêté pour sa chère Juliette. Avant de rendre le dernier soupir il murmure : « Je vois... de la lumière noire. »

En apprenant sur l'heure la nouvelle, le Sénat lève sa séance après avoir entendu cette déclaration de son président : « Celui qui provoquait l'admiration du monde et le légitime orgueil de la France, est entré dans l'immortalité. Je ne vous retracerai pas sa vie, chacun de vous la connaît ; sa gloire, elle n'appartient à aucun parti, à aucune opinion : elle est l'apanage et l'héritage de tous... ».

Le lendemain, le gouvernement ordonne des funérailles nationales, qui ont lieu le 1er juin 1885. Cérémonie grandiose, sans égale, dont le souvenir marque à jamais ceux qui y participent : durant la nuit de veille, plus de deux cent mille Parisiens défilent devant le catafalque dressé sous l'Arc-de-Triomphe, voilé d'un crêpe immense. Le jour venu tous les quartiers de Paris se vident pour entasser le long du parcours, de l'Étoile au Panthéon, plus de deux millions de personnes, venues également de toutes les provinces et de tous les pays. Spectacle saisissant et superbe que cette mer humaine, que ce peuple frémissant et recueilli venu remercier, comme l'écrit magnifiquement Maurice Barrès : « un poète-prophète, un vieil homme qui, par ses utopies, exaltait les cœurs. »

Sous l'inscription fameuse : « Aux grands hommes, la patrie reconnaissante », gît désormais ce génie sans frontières qui a été pendant près d'un siècle la voix de la France.

Comme Voltaire au xviiie siècle, Hugo a dominé le xixe par les péripéties de sa longue existence, par la multiplicité des genres où il a excellé, par son action et son influence dans les domaines de la littérature, de la politique, des idées sociales.

Pour avoir été le chantre sublime des sentiments de l'humanité tout entière, Victor Hugo connaît enfin ce qui est moins fragile que la gloire : la popularité vraie, la gratitude des hommes.

Dernière photographie de Victor Hugo.
La tristesse a tout submergé : le poète
ne fait plus que se survivre.

9. — HUGO, HÉLAS !

Depuis la fête funèbre par quoi débutait la déification du poète, trois ou quatre générations se sont succédé, récitant dans leur âge tendre « le geste auguste du semeur » et « donne-lui tout de même à boire », puis goûtant quelques pages choisies, suffisantes pour les confirmer dans l'opinion que l'immense bonhomme, placé au rang de bienfaiteur de l'humanité, était de surcroît un très grand écrivain.

La popularité de Victor Hugo a été incomparable, universelle. En des temps où n'existaient ni cinéma ni radio, des explorateurs en retrouvaient l'écho jusque chez des « sauvages » qui ne connaissaient que deux noms français : Napoléon et Hugo. Des voyageurs contemporains assurent qu'il en est encore de même dans certains pays lointains, les noms de Sartre et de Brigitte Bardot s'ajoutant aux précédents, sans les supplanter.

Par un jeu d'alternance, toujours prévisible, cette gloire est passée par plusieurs éclipses et renaissances. Sans prétendre que nos enfants lisent davantage Hugo que ne le firent nos pères, étant même certains du contraire, nous devons constater un regain d'intérêt parmi les hommes de lettres, intérêt dont témoignent des auteurs de premier plan comme Henri Guillemin, André Maurois, Jean Rousselot, Claude Roy, etc...

Tous déplorent de voir combien est dédaignée une œuvre dont les meilleurs titres disparaissent des rayons des librairies, ou se rencontrent chez les bouquinistes, malgré leurs belles reliures de cuir rouge, soldées à des prix dérisoires.

S'agit-il d'une condamnation de la part du public, ou d'un manque d'information ? Pour le savoir et faire le point, confrontons les jugements d'hier à ceux d'aujourd'hui: peut-être préciserons-nous ainsi la place qui revient légitimement à Hugo, non dans notre gratitude politique et patriotique, mais dans l'échelle des valeurs littéraires.

Partant de la constatation de François Mauriac : « Aucun écrivain, en France, n'est plus inconnu que Victor Hugo », commençons par lire Hugo, avec l'espoir de l'admirer davantage, ainsi que Léon-Paul Fargue le promet : « Mais si, Hugo c'est très bien, Hugo, c'est excellent. Vous ne l'avez jamais lu ! »

Nous découvrirons la variété et les ressources d'une œuvre immense, où ne manquent ni l'emphase ni les longueurs, mais qui abonde en beautés incomparables, en éclairs impressionnants. Hugo va jusqu'au bout de tout, du sublime comme du grotesque, et l'on pourrait appliquer à ce Titan des lettres le reproche que Paul Valéry adressait à l'Histoire, qui « justifie ce que l'on veut... car elle contient tout, et donne des exemples de tout. » S'il est incontestable que Hugo ait écrit beaucoup de bêtises, Montherlant nous invite à remarquer : « il lui arrive d'avoir de la profondeur, et une anthologie de lui, faite du seul point de vue· de l'intelligence, causerait des surprises. »

Est-il vraisemblable que ce très grand poète, ce visionnaire, ait été un homme médiocrement intelligent ? Léon Daudet, qui fut le mari de sa petite-fille, pose la question : « On veut bien que Hugo soit un géant. Mais chacun sait que les hommes très grands sont affligés souvent d'une toute petite cervelle. Ce colosse écrase : éclaire-t-il ? » Parmi ses contemporains, ses ennemis soulignaient déjà

son incapacité à définir et à raisonner, et Veuillot n'hési-
tait pas à prédire : « La postérité chicanera M. Hugo.
Elle le trouvera court dans ses longueurs, mesquin dans
ses tapages, enflé, détonnant, plus chevillé que de raison,
trop embesogné de montrer l'esprit qui lui manque... »
Gustave Rivet s'étonnait qu'un tel génie fût « aussi naïf »
et, plus près de nous, Thierry Maulnier lui reproche de
n'avoir « aucune trace d'humilité, d'ironie, de connaissance
de soi-même ». Dans ses *Propos de Littérature*, le philosophe
Alain salue en Hugo un orateur, mais il avoue : « Hugo
est trop long pour moi, presque toujours. Je le lis en cou-
rant, et même j'en passe. Je vois trop où il va ; il développe
presque toujours une idée commune, mais émouvante. »
Beaucoup de jugements analogues, émanant de Zola,
de Renan, de Remy de Gourmont ou de Louis Barthou,
se trouvent condensés dans le méchant propos du doux
Anatole France : « ce pauvre Victor Hugo naquit et mourut
enfant de chœur. »

Gustave Lanson, qu'il faut se garder d'oublier quand il
s'agit de situer un écrivain et une œuvre, trace de Hugo
ce portrait sans bienveillance : « L'homme, moralement,
est assez médiocre : immensément vaniteux, toujours quê-
tant l'admiration du monde, toujours occupé de *l'effet*,
et capable de toutes les petitesses pour se grandir, n'ayant

ni crainte ni sens du ridicule, rancunier impitoyablement contre tous ceux qui ont une fois piqué son moi superbe et bouffi, point homme du monde malgré cette politesse méticuleuse qui fut une de ses affectations, grand artiste avec une âme très bourgeoise, laborieux, rangé, serré, peuple surtout par une certaine grossièreté de tempérament, par l'épaisse jovialité et par la colère brutale, charmé du calembour et débordant en injures : nature, somme toute, vulgaire et forte, où l'égoïsme intempérant domine. »

Henri Guillemin nous le rappelle : « Rien de plus facile que d'établir du même homme, et à l'aide de traits également véridiques, deux images contradictoires, l'une agréable, l'autre laide. » De l'homme Hugo — ses plus acharnés détracteurs ne pouvant refuser du génie à l'écrivain — il n'est pas difficile de proposer une belle image en évoquant sa bonté et son altruisme ; sa vigueur originelle s'exprimant, au long d'une vie courageuse, par un incessant combat, un labeur acharné et une création continue ; sa pitié communicative pour les misères et les souffrances de l'humanité.

En accumulant les traits réputés « véridiques », tentons à notre tour un portrait ne s'éloignant pas trop du modèle :

Victor Hugo, qui se voulait des ancêtres gentilshommes, cultivait l'illusion, ainsi qu'il le dit dans la préface des

Odes et Ballades, d'être « né aristocrate ». Lourde méprise, que n'excuse pas chez lui le fait d'être pair de France, fils d'un comte d'Empire et d'une royaliste. Sa réussite sociale en faisait certes un grand bourgeois, assez pesamment « Louis-Philippard » pendant longtemps d'ailleurs, mais une telle ascension ne faisait pas de lui un « descendant ». Les aristocrates ne s'y trompaient pas, non plus que ses pareils, les possédants, qui lui reprochaient de garder « des tendances incompatibles avec la dignité, avec les intérêts de la classe dont il devrait être l'ornement. » (1) Il restait plébéien jusqu'aux moelles et tous ceux qui l'approchaient n'en pouvaient douter, Juliette Drouet la première. Les frères Goncourt ont multiplié les remarques en ce sens, par exemple lorsqu'ils notent que le grand homme, dans la polémique, « se bat sans art, fonce et cogne comme un rustre, un faubourien, un ouvrier». Louis Veuillot, toujours en guerre avec Hugo, lui trouvait « une âme grossière et violente ».

Par contraste avec les écrivains représentatifs du XVIIIe siècle, Hugo ne brille guère par l'esprit de finesse et la subtilité du goût, mais il lui est accordé en revanche un solide équilibre et la faculté inestimable de s'identifier avec

---

(1) Henri Guillemin. « Victor Hugo par lui-même »

Rien ne saurait rendre la ferveur de cette marée humaine, qui défile inter-
minablement devant le catafalque dressé sous l'Arc-de-Triomphe.

L'amour des humbles... (La Légende des Siècles).

l'âme de la foule par une sympathie native. Il communique avec tout, non par la sensibilité, mais par l'imagination, assez forte pour provoquer des sentiments, et surtout par une extraordinaire acuité des sens, particulièrement le sens de la vue : « Sa vision est une des plus nettes qui se soient jamais rencontrées chez un poète ; son œil garde à la fois le détail et l'ensemble des choses ». (1) « Il ouvre des yeux, sinon les plus profonds, du moins les plus *voyants* qui se soient jamais ouverts sur le monde charnel... » (2)

A travers toute l'œuvre de Hugo on devine l'œil du peintre, et ses splendides dessins et lavis le révèlent assez, comme nombre d'anecdotes qui soulignent une incroyable mémoire visuelle. Hugo ne pense que par images : une chose vue éveille en lui l'idée qui sommeille, et cette idée lui apparaît liée à une forme sensible. Délivré de l'embarras des opérations intellectuelles, le poète n'a que faire d'analyser : « au lieu d'un penseur, nous avons un visionnaire »(3) chez qui les associations d'images dirigent le développement de la pensée.

S'accommodant fort bien d'une certaine ambiguïté,

_____

(1) Gustave Lanson
(2) Charles Péguy
(3) Gustave Lanson

qui prolonge ses sortilèges, le langage poétique convient parfaitement à Victor Hugo, chez qui le don des images est servi par une magnifique fécondité verbale, la frappe hardie des métaphores, les prouesses inouïes de la syntaxe et de la rime. Baudelaire dira : « le lexique français, en sortant de sa bouche, est devenu un monde, un univers coloré, mélodieux et mouvant. » (1)

Mais la rançon de cette facilité est très lourde : Hugo enveloppe les sentiments les plus simples en des flots de sonorités. Cherchant toujours l'effet, il n'est jamais banal, mais il n'est jamais naturel. Procédant par de longues antithèses, il abuse des oppositions faciles : beau et laid, bien et mal, ombre et lumière, qui ne sont supportables que grâce à son habileté extrême à filer les phrases. Images lumineuses, formules hautaines et métaphores ambitieuses ne parent trop souvent que des lieux communs. C'est ce que Pierre Lasserre désigne comme la faculté « de jeter jusque sur le rien le manteau d'un discours étourdissant. » (2) Louis Veuillot, que son aversion pour Hugo ne privait pas de jugements fondés, voyait en lui « un artiste sans égal, en qui le sentiment de l'Art s'est corrompu par la vanité

---

(1) « L'Art romantique ».
(2) « Le Romantisme français »

d'étaler l'òrganisation particulière qui lui permet de vaincre la difficulté, et qui a cessé d'être musicien pour devenir exécutant. » (1)

Sauvé par sa capacité de vision et de synthèse instantanée, Victor Hugo, maître de la technique du vers, malgré les chapelets d'épithètes, les crescendo à la Rossini et tous les excès d'un verbe enflammé, n'en reste pas moins le poète dont l'œuvre présente la plus grande variété et les « réussites » les plus fréquentes. Pour ne citer que ses meilleurs recueils : *Les Feuilles d'Automne*, *Les Voix intérieures*, *Les Contemplations*, *La Légende des Siècles*, tous abondent en vers admirables dont l'emprise sur l'imagination est vigoureuse. Ce sont pures sensations, traduites en images dont la force émotionnelle et la puissance d'évocation ne sont surpassées par nulle autre poésie. Voilà qui justifie la piquante réponse d'André Gide, à la question de savoir qui fut le plus grand poète français : « Hugo, hélas ! »

Même son théâtre, d'une psychologie rudimentaire, trouve grâce par le prestige de vers splendides. Quant aux romans, où son génie exubérant était à l'aise, ils valent par la générosité qui les anime, par ce souffle épique qui

_____

(1) « Les Odeurs de Paris »

donne une voix à toutes les émotions, à tous les problèmes des hommes. Car s'il n'eut pas d'idées originales, Victor Hugo n'en fut que plus apte à représenter certains courants généraux de son temps. C'est encore G. Lanson qui remarque avec pertinence : « Son affaire n'est pas d'apporter des formules exactes, des solutions sûres. Il suffit qu'il tienne la curiosité en éveil sur de grands problèmes, qu'il entretienne des doutes, des inquiétudes, des désirs. Une idée abstraitement insuffisante peut déterminer un sentiment efficace. » Dans le domaine lyrique, qui n'est pas celui de la philosophie, une certaine obscurité ne peut surprendre. Paul Eluard nous en prévient : « le poète est celui qui inspire, bien plus que celui qui est inspiré. »

Ainsi, à défaut d'idées nettes, Hugo avait des tendances énergiques, un enthousiasme communicatif, et c'est par là que son œuvre est excellente. Inlassable créateur de mythes, Hugo a répandu sous cette forme les idées sociales devenues sa grande préoccupation dans la seconde partie de sa vie. Son passage de la monarchie au socialisme s'était opéré lentement, péniblement, mais toujours « à contretemps du succès », ainsi que le dit Claude Roy, qui nous invite à remarquer que, « de ses changements de point de vue, Hugo n'a jamais tiré aucun profit. »

La sincérité du poète ne peut être mise en doute, et son

vif sentiment de pitié sociale est certes antérieur à sa conversion politique. Même si cet amour des humbles prend parfois des expressions déraisonnables pour servir sa popularité, nous ne devons pas oublier que le Pair de France défendait déjà, sous Louis-Philippe, des idées libérales. Après la révolution de 1848, Hugo a trouvé sa voie : démocrate éloquent, adversaire déterminé du Prince-Président, il paie sa courageuse opposition d'un exil de 19 ans, qui contribuera beaucoup à sa gloire. En 1870, enfin de retour dans une France libre mais malheureuse, il proteste contre l'abandon de l'Alsace-Lorraine, lutte en faveur de l'amnistie des communards, s'efforce d'obtenir pour tous les parias de la société une amélioration de leur condition.

Par ses élans de bonté, de foi ou de colère démocratique, Victor Hugo exprime l'âme confuse et généreuse de toute une époque. C'est ce qui lui vaut, à l'égal de Voltaire, d'être révéré par les générations successives. C'est aussi ce qui donne à son œuvre sa véritable dimension :

> *L'humanité se lève, elle chancelle encore,*
> *Et, le front baigné d'ombre, elle va vers l'aurore.*

BIBLIOGRAPHIE

BATAULT (G.). — Le pontife de la démagogie (1934).
BAUDELAIRE (C.). — L'Art romantique.
DAUDET (L.). — La tragique existence de Victor Hugo (1937).
ESCHOLIER (R.). — La vie glorieuse de Victor Hugo (1928).
GONCOURT. — Journal (*passim*).
GOURMONT (R. de). — Promenades littéraires (1910).
GREGH (F.). — Victor Hugo, sa vie, son œuvre (1954).
GUILLEMIN (H.). — Victor Hugo par lui-même (1951).
LACRETELLE (P. de). — La vie politique de Victor Hugo (1928).
LANSON (G.). — Littérature française (1895).
LASSERRE (P.). — Le Romantisme français (1928).
LE BRETON (A.). — La jeunesse de Victor Hugo (1927).
MAULNIER (T.). — L'énigme Hugo (1944).
MAUROIS (A.). — Olympio, ou la vie de Victor Hugo (1954).
RICHARD-LESCLIDE (J.). — Victor Hugo intime (1902).
ROUSSELOT (J.). — Le roman de Victor Hugo (1961).
ROY (C.). — La vie de Victor Hugo racontée par Victor Hugo (1958).
SAURAT (D.). — La religion de Victor Hugo (1921).
SIMON (G.). — L'enfance de Victor Hugo (1921).
       — Le roman de Sainte-Beuve (1909).
SOUCHON (P.). — Les deux femmes de Victor Hugo (1947).
VEUILLOT (L.).— Les odeurs de Paris (1867).
       — Etudes sur Victor Hugo (1886).

INDEX

154

ORIGINE DES ILLUSTRATIONS

Bulloz : pages 7, 34, 41, 49, 56, 60, 79, 80, 94, 101, 122, 143, 144.

Giraudon : pages 15, 16, 24, 42, 55, 67, 68, 74, 84, 102, 115, 129.

Perrelle : page 50.

Fernand Nathan (*Bibl. Ars.*) : page 33.

Fernand Nathan (*Bibl. Nat.*) : page 43.

Fernand Nathan (*Musée Victor-Hugo*) : pages 25, 93, 116, 137.

Fernand Nathan (*Archives*) : pages 107, 130.

Première page de couverture : photos Bulloz et Nathan (Musée Victor-Hugo).

Vignette au dos de la couverture et quatrième plat de couverture : photos Bulloz.

TABLE DES MATIÈRES

Achevé d'imprimer sur les presses de l'Imprimerie Hérissey, Évreux
le 15 Mai 1966 — N° d'édition : T. 10068 (C. VII) — N° d'impression : 3481
Imprimé en France